COMPAIXÃO

Fernando Moraes

COMPAIXÃO
Como conceito de totalidade

Novo Conceito

© 2019 Editora Novo Conceito
Todos os direitos reservados.

Nenhuma parte desta publicação poderá ser reproduzida ou transmitida de qualquer modo ou por qualquer meio sem a permissão por escrito da Editora.

2ª Impressão — 2019
Impressão e acabamento Eskenazi 270519

Produção editorial: Equipe Novo Conceito
Preparação: Carlos Villarruel
Revisão: Lígia Alves
Diagramação: Emap Produções

Dados Internacionais de Catalogação na Publicação (CIP)
(Câmara Brasileira do Livro, SP, Brasil)

Moraes, Fernando
    Compaixão : como conceito de totalidade / Fernando Moraes. -- Ribeirão Preto, SP : Novo Conceito Editora, 2019.

    Bibliografia.
    ISBN 978-85-8163-904-8

    1. Compaixão 2. Convívio social 3. Cotidiano 4. Justiça social 5. Liberdade 6. Solidariedade I. Título.

19-25138   CDD-177.7

Índices para catálogo sistemático:
1. Compaixão : Convívio social : Filosofia 177.7
Cibele Maria Dias – Bibliotecária – CRB-8/9427

Novo Conceito
Rua Dr. Hugo Fortes, 1885
Parque Industrial Lagoinha
14095-260 – Ribeirão Preto – SP
www.editoranovoconceito.com.br

Com amor, para as minhas meninas.

Sumário

- 11   Introdução
- 15   Compaixão como conceito de totalidade
- 25   Compaixão e pertença
- 35   Compaixão e solidariedade
- 43   Compaixão como conectividade humana em tempos de conexão virtual
- 55   Compaixão: tempo social *versus* tempo cronológico
- 63   Compaixão e liberdade
- 71   Compaixão e suas dimensões
- 79   Compaixão e dever
- 87   Compaixão e comunidade de sentidos
- 95   Compaixão e renovo
- 103   Compaixão e justiça social
- 111   Compaixão e movimento
- 116   Notas bibliográficas

"A única atitude digna de uma criatura
superior é a de uma calma e fria compaixão por
tudo quanto não é ele próprio. Não que essa
atitude tenha o mínimo cunho de justa e verdadeira;
mas é tão invejável que é preciso tê-la."

Fernando Pessoa

Introdução

É importante destacar que neste livro não tenho nenhuma pretensão de esgotar o assunto sobre o qual me debruço: a compaixão. Seria um grande equívoco querer conceituar ou cientificar algo que entendo de forma muito especial, quase num plano metafísico, espiritual ou qualquer outra coisa que transcenda o entendimento humano.

A compaixão é um tema pouco abordado na filosofia. Talvez Arthur Schopenhauer tenha dedicado mais atenção a refletir sobre o assunto, considerando que ele se utilizou do budismo para respaldar seu pensamento. As religiões, ao longo da história, trataram o tema como uma das características fundamentais para alcançar o divino.

A minha proposta aqui é refletir sobre a compaixão dentro de uma perspectiva social, que transita pela cidadania, pela convivência social e pelo cotidiano das pessoas, e, fundamentalmente, perceber como ela nos absorve, sem muitas vezes termos consciência disso.

Ainda como proposta, trago na minha abordagem um desafio para o tempo presente. Muito se fala nas rodas das ciências humanas sobre resiliência, alteridade, empatia, altruísmo, sentimento de pertença, solidariedade e tantos outros conceitos, em como buscamos reconhecer o outro, o diferente de nós, aquele que muitas vezes é o nosso inferno, mas que também nos faz inferno de alguém. O desafio é: como você percebe e se vê diante da diferença?

A resposta a essa questão não é simples, pois, dependendo de como você a conceber, dirá coisas distintas sobre si mesmo. Por isso, não se trata apenas de uma pergunta, mas de uma provocação para os dias atuais, considerando o esvaziamento das relações de qualquer natureza que em outros tempos, quando o espírito era mais companheiro do corpo, não seria tão angustiante.

Enfim, espero que durante a leitura você possa fazer um exercício crítico não somente sobre o meu pensamento ou a minha escrita, o que muito me alegrará, mas também sobre seus próprios olhares, suas percepções e interpretações sobre a vida e tudo o que dela advém. Desejo que você possa, ao término da última linha, iniciar o seu próprio texto. Um texto que vá além da palavra escrita ou da oralidade, que ultrapasse as suas atitudes, as suas ações e o seu comportamento perante tudo que o cerca, trazendo avivamento, presença e sentido.

"O homem não é a soma do que tem, mas a totalidade do que ainda não tem, do que poderia ter."

Jean-Paul Sartre

Compaixão como conceito de totalidade

Quando estava em Angola, fui ministrar uma formação sobre protagonismo social com lideranças comunitárias na cidade de Lubango, na província de Huíla, no extremo sul do país. Foi uma experiência incrível, que compreendeu duas semanas intensas durante as quais pude conhecer a história daquele país, que por décadas amargou uma guerra civil sem precedentes. Muitos daqueles que ali estavam comigo tinham vivenciado situações de profundo terror. Foram testemunhas oculares de uma carnificina praticada por mãos humanas; sim, por seus semelhantes, por seus próximos, iguais — ou qualquer outra referência que possamos dar para refletir sobre a contradição que envolve tal situação.

Foi ali, num mosteiro isolado de tudo, local da formação, que pude ter o melhor dos melhores aprendizados sobre o que envolve o meu outro. Combinamos, antes do início de cada aula, que a turma, em comum acordo, escolheria uma frase a ser escrita no quadro para reflexão, e, assim, nos debruçávamos diariamente com alegria e entusiasmo sobre o pensamento proposto.

No último dia da formação, depois de tantos temas trabalhados, a frase escolhida foi esta: "O endereço mais difícil do mundo é o lugar do outro". Aquilo me encheu de alegria e emoção, pois falar para um grupo como aquele — que fora submetido a um sofrimento tão grande —, sobre resiliência, solidariedade, afeto, altruísmo, pertença ou qualquer outro assunto que pudesse resgatar o sentido de humanidade, era de uma riqueza singular. Mesmo diante de situações de profunda adversidade, aqueles indivíduos eram capazes de demonstrar uma serenidade e uma alegria arrebatadoras. A experiência vivenciada pelos alunos esvaziou qualquer tentativa de minha parte de apresentar conceitos meramente teóricos sobre os assuntos que discutimos em aula.

Isso me fez acreditar, dia após dia, que somente um coração que experimentou o sofrimento, a dor ou a morte de seus semelhantes saberá apreciar com o devido cuidado o dom da vida, dando sentido ao que é importante e verdadeiro com muito mais profundidade e zelo pelo ar que respira.

Observar aquelas pessoas, conviver com elas, cada uma com a historicidade social própria, ouvir os relatos sobre o que viveram e viram, atraiu minha atenção para o fato de elas se comportarem sempre com gentileza, com o olhar que acolhe e acaricia o coração em qualquer circunstância. Constantemente aqueles indivíduos se mostravam dispostos a estender as mãos e a oferecer um abraço, uma palavra consoladora, e faziam isso com um entusiasmo tão natural que me lembrei do que disse W. H. Auden: "O clima é aquilo com o qual os antipáticos antipatizam, e os simpáticos mostram uma alegria comum em observar".

Foi por isso que, muitos anos depois, tendo passado por outras importantes experiências trabalhando com pessoas submetidas a situações de profunda vulnerabilidade, que sobreviviam em vez de viver — considerando que sobreviver significa já estar em posição de desvantagem —, resolvi escrever sobre a compaixão. Foi a ela que cheguei após tantas e tantas estações de vivências, como o Santo Graal para a nossa existência.

Sobretudo em um tempo como este, quando vivemos uma avalanche de intolerância, de ódio por aquilo que é diferente. Enfrentamos um retrocesso no tempo histórico, diminuindo a cada dia as nossas chances de pertença, de dignidade na diferença e de liberdade diante do processo de anulação da nossa identidade social. Os que mais sofrem são as minorias, que não podem ter voz e acabam sendo sempre lembradas de qual é o seu lugar: muitos ainda pensam que pobre não pode ter carro, casa, fazer escolhas. Os detentores do poder econômico consideram essas conquistas inadmissíveis, intoleráveis, tanto que constantemente se articulam com seus iguais para impedir aquilo que para eles seria uma tragédia, uma afronta.

A compaixão sobre a qual aqui quero refletir não está na tradição religiosa, muito menos na constatação de Max Weber, segundo a qual os que muito têm, por desencargo de consciência, fazem um pouco para os mais necessitados, na busca moral de dizer ao mundo que são bons e que, movidos pelo sentimento de compaixão, doam parte de seu precioso tempo para ajudar e ser solidários com aqueles que tanto sofrem. Isso definitivamente não é ter compaixão, é um consórcio social, ou seja, uma exposição, muitas vezes falsa, de solidariedade.

A compaixão tem que ser totalizante, não atrelar unicamente os que muito têm e os que nada têm. É uma questão de civilidade, de compreensão e leitura do mundo ao redor reconhecer que existe o diferente, o que professa uma fé distinta, que pensa de outra maneira, que tem outra cor da pele, que sexualmente diverge das nossas preferências, e tantas outras situações que nos mostram que nossa visão de mundo não pode ser umbilical.

Na tríade do conceito de totalidade — ser, ter e conviver —, a compaixão passa a nos referenciar como uma significante social em tudo o que envolve o outro. Ser solidário não tem a ver com estética social: é necessário estarmos juntos, ofertar a nossa presença para os que precisam de nós. Trata-se de fazer o enfrentamento de tudo o que nega a alteridade daqueles que querem anular o outro, acreditando que a bênção de um depende da maldição dos demais. A compaixão não pode ser compreendida apenas pelos conceitos de benemerência e altruísmo que a envolvem, em especial numa cultura que trata o "fazer o bem" como um diferencial de caráter, como se fosse um rótulo de pertença, e não uma condição de normalidade dentro do estado de convivência social.

A noção de "bem" se mercantilizou no processo materialista do capital. Saiu do estado natural de Aristóteles, em que essa concepção está estreitamente vinculada à ideia de comunidade, e passou a ser contemplada como reconhecimento, como se fosse um diferencial. Essa abordagem aristotélica de comunidade sempre me agradou muito.

Nunca foi tão atual a necessidade de revisitarmos nossa participação social. Para muitos, essa participação está enclausurada num "calendário social do bem", instituído historicamente por aqueles que propagam ser solidários e cidadãos do bem de acordo com interesses, *status* e conveniências morais.

O cenário é sempre o mesmo a cada ano. Iniciamos pelo Natal: pregando o discurso da solidariedade, alguns se vestem de Papai Noel, arrecadam brinquedos e, como num desfile, chegam à "Sapucaí" das comunidades pobres, das entidades beneficentes e de outros redutos da pobreza material para se apresentar no grande *show* da caridade. Depois, Páscoa: todos se transformam em coelhinhos bondosos. Mais tarde, comemorações de dias santos, Dia das Crianças, e assim vai, numa espiral viciosa. Essas pessoas se convencem de que são caridosas e que refrigeram a própria alma agindo desta forma.

Esquecem-se de que os indivíduos ajudados são, como elas mesmas, dotados de talentos, dons e sonhos. Se tiverem oportunidade de se desenvolver, podem, sim, ter escolhas. Não me compreenda como radical. Pelo contrário, entendo perfeitamente a importância e a felicidade de uma criança pobre ganhar um brinquedo numa ação de solidariedade. Mas considero necessário ter uma visão mais aguçada sobre o assunto, e para isso é preciso ofertar condições de empoderamento social por meio de programas e projetos de educação, cultura e qualificação profissional para jovens e adultos. Certamente essa transformação seria impactante e renovadora para a vida desses indivíduos, e não para o ego dos que se acham bons por suas benemerências.

É o que eu defino como voluntariado "alterativo", de alteração: em vez de praticar a ação imediatista, que as pessoas coloquem seus dons, seus talentos, suas habilidades e seu conhecimento à disposição do semelhante, e, nessa troca de saberes, todos acabarão sendo beneficiados. Essa seria a verdadeira revolução silenciosa, muito diferente de uma competição para ver quem é o maior cidadão do céu.

Estou falando da compaixão no seu estado mais natural, não dividida ou recortada de acordo com as benesses morais de alguns, mas sim totalizante e integral. A compaixão que não vê o outro como uma figura institucional, mas o enxerga como ser humano que sente, que ama, que tem a sua própria percepção de mundo e é alguém que também tem algo a oferecer.

Outro dia, fui convidado para palestrar num grande evento empresarial. Antes de iniciar a minha participação, fui conduzido por uma recepcionista até o presidente da empresa. Antes de vê-lo, fiquei em uma sala de espera, onde já havia algumas pessoas aguardando para serem recebidas pelo executivo daquela multinacional. Pelo que entendi, eu seria apresentado a ele por uma simples questão de protocolo, e depois seguiria para o auditório onde aconteceria o evento. Fiquei ali esperando por um longo período, o que não me incomodou, pois havia chegado no horário combinado.

Outros homens foram chegando, todos vestindo terno e gravata. As conversas eram recheadas de formalidade. Por duas vezes a secretária, educadamente, veio me avisar de que a agenda do presidente estava cheia, mas que ele fazia questão de tomar um café comigo antes da palestra. Pois bem, fiquei ali observando o movimento e, como todo palestrante, me mantive atento a qualquer detalhe que eventualmente pudesse utilizar na minha fala. O tempo todo eu via copeiras entrarem na sala do presidente para servir água e café. Toda vez que elas abriam a porta para entrar ou sair, olhares curiosos se moviam na sala de espera.

Até que chegou a minha vez. Fui muito bem recebido pelo executivo, um homem espirituoso e atencioso — sua gentileza talvez fosse o motivo do tempo de espera do lado de fora. Percebi uma disposição incrível; ele transmitia uma boa energia. Enquanto conversávamos, as copeiras entraram em silêncio para servir café e água. Nesse exato momento ele me surpreendeu dizendo que havia lido um dos meus livros e que a escolha do meu nome para palestrar no evento de encerramento daquele ano tinha sido em função disso. Fiquei feliz e agradeci seu interesse em tecer comentários sobre o meu trabalho.

COMPAIXÃO

Saímos da sala, e ele foi me acompanhando até o local da palestra, pois faria a minha apresentação ao público. Enquanto caminhávamos, ele me perguntou, com base numa curiosidade despertada pelo livro, o que de fato me inspirava e me movia a acreditar em dias melhores.

Eu poderia ter respondido a essa questão de diversas maneiras, pois o livro que o executivo havia lido tem como título uma pergunta, que foi a essência da minha escrita ao pensar em respostas sobre as minhas reflexões.

Entretanto, fiz o presidente se lembrar das copeiras que passavam o dia a servi-lo. Certamente elas não eram notadas, mas, diferentemente daqueles que estavam na sala de espera, que tiveram que marcar horário para falar com ele, aquelas moças entravam na sala e saíam dela o tempo todo. Reflexivo e atento, ele indagou: "Mas onde está resposta para a minha pergunta?".

Com rara serenidade, respondi: "Elas só têm uma função, que é a mais importante da nossa existência neste mundo: 'servir'. E servir não tem *status*, cargo, poder ou qualquer outra condição de mérito. Servir não tem hora marcada nem autorização de entrada e saída. Por isso, esse servir de pessoas comuns e simples é o que me inspira e me move a acreditar sempre em dias melhores".

Dar aquela resposta foi um momento de grande inspiração, tanto que o executivo acabou assistindo à palestra e, no final, cumprimentou cada pessoa que estava naquele auditório. Servir é a compaixão em ato, em plena ação. É o que nos dá a sensação de plenitude humana.

"Por meu campo perceptivo, com seus horizontes espaciais, estou presente em meu meio, coexistindo com todas as outras paisagens que se estendem além, e todas essas perspectivas formam juntas uma única onda temporal, um instante no mundo."

Merleau-Ponty

Compaixão e pertença

Nas palavras do oráculo, retomadas por Sócrates: "Conhece-te a ti mesmo", ou seja, revisite a si mesmo, se compreenda, entenda suas preocupações, limitações, desejos, necessidades e, por meio dessa busca, chegue a um amadurecimento, com atitude reflexiva e equilibrada.

Na filosofia, isso remonta a conceitos antigos de pertença, passando pela experiência de vida das pessoas. Descartes, na primeira parte de *Discurso do método*, revela a importância de compreender a trajetória para saber aonde se quer chegar: "Terei a satisfação de mostrar neste discurso os caminhos que segui, e de apresentar minha vida como em um quadro".

Descartes nos apresenta um certo subjetivismo, dando importância à busca do autoconhecimento e colocando o sujeito pensante como fonte de conhecimento. E prossegue: "Mas depois que, por alguns anos, apliquei-me a estudar no livro do mundo, e a procurar adquirir alguma experiência, tomei um dia a decisão de estudar também a mim próprio, e de empregar todas as forças de meu espírito na escolha dos caminhos que devia seguir".

Aprecio muito essa definição a respeito da leitura do livro do mundo. O filósofo deixa claro que essa leitura só poderá ter valor se precedida e acompanhada de autoconhecimento e reflexão. Entretanto, nada disso está dissociado do meio em que vivemos. É necessário se perceber como parte de uma coletividade, tendo consciência de que a zona de conforto não pode ser a mediadora de quem são os nossos iguais e de quem nos pertence. Só podemos nos conhecer quando conhecemos o outro, quando aceitamos que esse indivíduo tem uma percepção diferente de mundo e com ela sentimentos e olhares distintos sobre as mais variadas questões da vida.

O conhecimento da trajetória de si mesmo, sobre o qual reflete Descartes, nos leva a pensar sobre o mundo à nossa volta e a ver que dentro dele existem pessoas com outros mundos e outras percepções. Todos nós temos uma trajetória, com sabores e dissabores. Em nosso convívio, seja no trabalho ou nos círculos sociais, não temos noção do que está se passando na vida das pessoas ao redor. Temos a infeliz tendência de medir os outros com nossa própria régua. Por isso, a pertença precisa ser praticada como ação humana e não moral. Compadecer-se não significa apenas ser solidário: fundamentalmente, vai além da empatia, da capacidade de se colocar no lugar do outro. Ter compaixão é ter a certeza de que você é o outro de alguém, sendo o inferno de Sartre ou a alegria de Bergson.

Compadecer-se ou se alegrar com as pessoas é praticar o sentimento de pertença. Tenho um amigo muito especial chamado Armando Romeiro. Quando eu tinha meus quinze anos, já trabalhava e era responsável por prover a casa. Pagávamos aluguel, e, na ocasião, a minha mãe ficou sem emprego, o que aumentou o peso da minha responsabilidade com o salário que recebia. A minha avó me ajudava com a sua modesta aposentadoria, mas as contas não fechavam.

COMPAIXÃO

Até que chegamos à seguinte situação: ou pagávamos o aluguel ou comíamos.

E assim os aluguéis foram vencendo, até que recebemos uma notificação de despejo. Aquilo me consumia. Enquanto a preocupação dos meus amigos era o tênis da moda ou a nova moto, a minha era cuidar da minha mãe e da minha avó. Um dia cheguei mais cedo ao trabalho, até mesmo para aproveitar o tempo e me distrair daquela triste situação. E eis que entra em cena esse amigo, o Armando. Na época ele era o meu chefe imediato. Sempre muito atencioso com todos, percebeu a minha tristeza. No final do dia, me chamou em sua sala para conversar. Fiquei preocupado, pois era um tempo difícil na empresa; toda semana aconteciam demissões, então imaginei que o assunto poderia ser esse.

Fui caminhando em direção à sala do meu chefe com o coração contrito, imaginando que, além de tudo o que estava enfrentando, ainda poderia acontecer o pior. Entrei naquela sala assustado, e ele, percebendo minha aflição, se levantou e me deu um abraço. Fiquei sem reação. Armando perguntou o que estava acontecendo, pois percebera uma tristeza nos meus olhos que não era comum — eu sempre era um dos mais animados do grupo. Acabei me abrindo com ele, explicando a situação do aluguel atrasado. Contei que havia ido à imobiliária tentar negociar e que o filho do proprietário, quase da minha idade, havia dito que, se eu não tinha condições de pagar, que fosse morar embaixo da ponte.

Armando me ouviu atentamente. O choro, naquele momento, já tomava conta de mim. Ele se levantou novamente e, olhando nos meus olhos, me disse para eu ficar em paz que tudo iria se resolver.

Não há nada mais acalentador do que alguém demonstrar interesse pelo seu sofrimento. Foi esse sentimento que, aos quinze anos, experimentei. No outro dia, Armando me chamou novamente e, com o dinheiro nas mãos, declarou que não aceitava a minha negativa, que era para eu resolver logo a situação que tanto me angustiava. Que era para não me preocupar com a maneira como devolveria aquela quantia.

Fiquei um pouco constrangido, mas, diante da necessidade, aceitei a ajuda e resolvi a questão. Já se passaram quase trinta anos, e até hoje ele se recusa a receber o pagamento pelo empréstimo. Aliás, nunca mais me deixou tocar no assunto.

Tê-lo por perto, no meu ciclo de amizades, é uma grande alegria. Armando representa muito na minha vida. Sempre que o vejo, sinto a gratidão encher o meu coração.

Quantos "Armandos" encontramos nesta vida? Imagino que dê para contar nos dedos, e a cada dia eles estão mais raros. O sentimento de pertença se esvaziou até mesmo entre os mais íntimos. E não estou falando de ajuda financeira, mas sim da essência de se compadecer e, tendo condições, além do abraço ou da palavra que conforta, colocar-se à disposição para o que der e vier. Se insisto no sentido de pertença, o que inclusive me motivou a escrever um livro sobre o assunto, é porque não vejo alternativa para o resgate da humanidade que não seja esse caminho.

A compaixão como exercício permanente de pertença tem um sentido curativo. Quando estava na África, acompanhei uma ação dos Médicos Sem Fronteiras e fiquei impressionado com a atuação daqueles profissionais. Não se tratava somente do aspecto técnico da medicina como ciência. Era muito mais que isso: pude observar que a base de mais da metade dos atendimentos era a atenção. O abraço, a acolhida, a conversa e o olhar da presença faziam os pacientes saírem dali com uma alegria contagiosa.

COMPAIXÃO

Não é necessário que exista uma situação de vulnerabilidade para praticar a compaixão. Por isso, o sentido de pertencer ao meio faz toda a diferença. Ter a percepção de que somos parte de um coletivo e de que não podemos julgar que os outros devem se moldar às nossas convicções, às nossas crenças e ao nosso modo de ser.

No livro *O poder da alegria*, Frédéric Lenoir faz uma abordagem precisa dos efeitos desse sentimento, concluindo que é isso, afinal, o que buscamos o tempo todo — apesar da sua efemeridade. A compaixão também é um sentimento de alegria, e não precisa ser concebida somente na dor do outro. Podemos agir de forma compadecida também — e principalmente — nos momentos em que presenciamos o contentamento de alguém.

É diferente de invejar a alegria alheia, quando sempre derramamos uma dose de veneno com frases do tipo: "Nossa, precisava de uma casa desse tamanho?" ou "Esse carro que ela comprou é até bonito, mas já virou modismo, todo mundo tem". Podemos partilhar com compaixão os instantes de radiante alegria das pessoas à nossa volta. Tenho um amigo religioso que usa uma expressão sensacional: "Que inveja santa eu sinto disso".

Essa santificação da inveja me fascina, pois ela anula os sentimentos ruins quando palavras negativas são desferidas. A pertença despretensiosa quando nos alegramos com o que alegra os outros é a máxima de Henri Bergson: "A natureza nos adverte com um sinal específico de que o nosso destino foi alcançado. Esse sinal é a alegria".

Compadecer-se com alegria é muito diferente do que, historicamente, experimentamos com a compaixão. Em especial pelas instituições religiosas, que conceituaram a compaixão com base no sofrimento, dando a ela um ar de dor, de angústia para percebemos o outro. Essas instituições também criaram a necessidade do autocompadecimento como forma de aliviar a autoestima ferida. É o que Nietzsche intitulou de "teologia da tristeza": por meio do sofrimento e da comiseração do outro é que percebemos a nossa frágil e efêmera condição de humanos.

O compadecimento deve ser tratado no âmbito da cidadania. Em tudo o que fizemos na chamada coletividade, fomos ao longo do tempo criando um conformismo em torno da prática cidadã. A cidadania não pode ser compreendida como receber algo, mas sim como doar algo. E esse doar não está nas obrigações legais, mas nas entrelinhas da compaixão.

Compadecer-se não significa ser piedoso, mas reconhecer que o ajudado é alguém que merece justiça. Deve-se romper com a lógica angelical da ajuda contemplando a lógica da justiça. Não é justo uma pessoa enfrentar uma situação de precarização da própria humanidade. Esse outro pertence à nossa coletividade, não "de alguma forma", mas de todas as formas e jeitos. Mesmo que haja uma tendência a ajustarmos quem faz parte ou não do nosso convívio segundo critérios criados artificialmente, acabamos tratando os de fora com certa invisibilidade, até para atenuar o nosso despreparo em aceitar o que nos é diferente.

Quando adotamos a compaixão como exercício cotidiano, estamos na verdade dizendo aos outros: "Eu vejo vocês". E isso imediatamente faz todos perceberem que pertencemos uns aos outros — não como propriedade, mas como continuidade. Somos parte de um todo.

Deixamos de cultivar a compaixão como um valor humano, e falhamos ao longo do tempo. Abandonamos algumas virtudes que funcionavam como a alma da nossa convivência. Lembro-me de que minha avó, a mais ilustre educadora que tive na vida — mesmo com sua baixa escolaridade —, me dizia para nunca esquecer de onde eu vinha, das origens, de quem me ajudou ao longo da vida. Sempre que puder, dizia ela, se não for possível retribuir, que a memória seja grata e permaneça viva no coração. A minha avó não está mais neste tempo, mas continua no meu tempo. Era uma poeta sem uma linha escrita. Nunca publicou um artigo, não deu entrevista para a televisão, não saiu em coluna de jornal e muito menos possuía títulos intelectuais, mas foi e sempre será a minha memória avivada.

Essa gratidão de que falava a minha avó em momento nenhum carregava o espectro de parecer bom. Para ela, ser bom, ser grato e ser solidário era assunto sério. Não era para ser louvado, elogiado ou exposto para todos verem. Tinha sentido e fazia sentido. Tinha essência de civilidade e de obrigação diante dos outros. Toda vez que leio ou releio Merleau-Ponty, em especial a obra *Fenomenologia da percepção*, acho as palavras mais justas e honestas para lembrar dos ensinamentos da minha avó: "Vivemos num único mundo. Onde estão a natureza, as coisas, o outro e eu. Não há mundo sem o outro e não há o outro sem o mundo".

"A solidariedade é o sentimento que melhor expressa o respeito pela dignidade humana."

Franz Kafka

Compaixão e solidariedade

O grande Guimarães Rosa dizia que, para exercer a compaixão, é necessário "colocar o coração na miséria alheia". A preocupação com o outro está presente em todas as obras desse escritor. Especialmente em *Grande sertão:* veredas é possível compreender um conflito entre o messianismo e o demonismo, e isso leva o personagem principal, Riobaldo, a procurar a coragem e a liberdade necessárias para combater o que fragiliza e impede a plenitude do ser humano. E essa plenitude está em reconhecer a nossa miséria no outro, a soberba, a ganância, a tirania, a intolerância, o ódio e tantas outras comiserações que nos impedem de sermos plenos quando somos solidários. Até mesmo inconscientes esperamos algo como retorno.

Compaixão é a consciência permanente de que existe o outro. E solidariedade é o efeito natural de identificar o outro por essa consciência e dar vida a essa relação. Sendo assim, uma não existe sem a outra. Entretanto, mesmo tendo essa condição indissociável, costumeiramente tentamos estabelecer interlúdios. A solidariedade, na sociedade de consumo, foi transformada num produto de mercado. Parece que a encontramos nas prateleiras de um supermercado, com rótulos e embalagens diferentes, mas sem o essencial, aquilo que é o segredo para render e se diferenciar das falsificações, a receita principal: o servir.

Ser solidário para dar respostas às ordens morais é completamente diferente de servir com presença e com o coração entregue. Um dia desses, depois de tanto um amigo insistir, fui acompanhar uma ação social que ele faz anualmente. Sim, isso mesmo. Uma vez por ano ele se reúne com outros amigos e faz uma ação solidária. Distribui caldos quentes para pessoas que estão na condição de moradores de rua. Todo inverno, uma vez por ano, isso mesmo, uma vez por ano, ele consegue se sentir solidário para alcançar o reino eterno. E com frases prontas como: "Isso gratifica a alma e o coração" ou "Na verdade estou fazendo a mim mesmo, pois a alegria é minha".

Cheguei no horário combinado, só observando o feliz encontro dos amigos da solidariedade. Percebi que os voluntários eram personalidades conhecidas da cidade, empresários, alguns profissionais da televisão e políticos. O tempo foi passando, e eu já me preocupava com o horário. Resolvi perguntar ao amigo se ainda demoraríamos para sair, pois já passava das 22 horas, e a noite ficava cada vez mais fria. Ele, muito entusiasmado com a ação da turma do bem, explicou que logo se iniciaria a ação. As vans já estavam abastecidas com panelas gigantes, repletas de caldos para serem entregues aos moradores de rua.

Sentei-me ao lado de um grupo de pessoas que, a cada palavra trocada, faziam dez *selfies* para registrar nas redes sociais o momento angelical. E o tempo passando... Resolvi perguntar novamente, e o amigo me disse que faltava chegar a imprensa escrita. Ele mencionou o maior jornal da cidade e, lógico, uma famosa rede de televisão. Ambos fariam a cobertura da grandiosa ação solidária. Enfim, depois de cumpridos todos os requisitos, saímos às ruas para exercer a compaixão e a solidariedade pelos nossos semelhantes. A van em que eu estava ficou encarregada de visitar pessoas que moravam debaixo dos viadutos.

A essa altura, já de madrugada, percebi, após o terceiro viaduto, que as pessoas que recebiam a sopa aceitavam o prato por gentileza e o colocavam de lado, não demonstrando muito apetite. Resolvi me aproximar de uma senhora e perguntei a ela se a sopa estava ruim ou fria. E ela, de forma surpreendente, sussurrou no meu ouvido — para não ser deselegante com os voluntários em volta — que a sopa estava ótima, mas essa era a oitava perua solidária que passava por ali. Um verdadeiro rodízio de caldos da solidariedade.

Certamente o leitor percebeu uma certa ironia na minha narrativa. É exatamente dessa forma que vejo o que chamo de solidariedade de mercado, um competindo com o outro para ver quem é mais "bonzinho e solidário". Muitos que ali estavam não tinham presença do servir: era apenas a foto para mostrar ao mundo como são bons e justos e a roupagem da solidariedade para certificar a generosidade de consumo, com milhares de curtidas e comentários de reconhecimento do que seria um dever, um ato de civilidade, e simplesmente servir.

Não repudio em hipótese alguma a ação proposta. Pelo contrário, compreendo essas práticas imediatistas como necessárias. O que coloco em questão, especialmente naquele grupo do "bem", é o poder econômico ali concentrado. O grupo poderia realizar grandes ações de empoderamento social, como um programa de qualificação social ou de geração de renda para pessoas em situação de profunda vulnerabilidade social. Mas eles preferiam o holofote do ser socialmente responsável, cidadão de bem da família tradicional.

Não há sustentação para esse tipo de compaixão e solidariedade. O imediatismo de ações como essa não impacta a vida das pessoas. A compaixão como consciência permanente da existência alheia consiste em valorizar aquilo que o ser humano, privado até mesmo da sua dignidade, tem a oferecer. É necessário mudar o paradigma de olhar para as pessoas pobres considerando aquilo que lhes falta. Temos que olhar primeiro para aquilo que elas têm: talentos, história, habilidades, dons, sonhos e tantas outras coisas que fazem delas indivíduos iguais a qualquer alma vivente neste mundo.

A compaixão é uma resposta da nossa consciência. É reconhecer a nossa interdependência na esquizofrenia da vida coletiva. No livro *Desaparecer de si:* uma tentação contemporânea, David Le Breton inicia sua reflexão da seguinte maneira:

> Às vezes, nossa existência nos pesa. Mesmo que por algum tempo tenhamos vontade de nos livrar das necessidades ligadas a ela, de tirarmos férias de nós mesmos para tomar fôlego, descansar.

Esse descansar de nós mesmos está diretamente ligado à forma como percebemos o mundo, e como isso, perigosamente, passa para a fase de esgotamento das relações sociais. É o que Jacques Derrida chama de "conceito de desconstrução". Estamos cada vez mais aprisionados no divã moral, tendo que responder a todo instante às instituições de controle social. Vamos perdendo a nossa identidade e com ela o nosso *élan*, o entusiasmo diante de tudo à nossa volta, o que inevitavelmente nos distancia da convivência, da vivência e das trocas relacionais, que se tornam um fardo difícil e angustiante.

Conheço pessoas que passam a vida toda se lamentando, como

se considerassem que tudo lhes é devido. Transferindo suas frustrações sempre aos outros, estão continuamente alheias ao mundo e querem o tempo todo imprimir seu olhar e sua percepção como verdade absoluta, transformando o outro em inferno. Essas pessoas não são capazes de ser gratas nem por suas próprias vidas, que dirá pela vida alheia. Tratam a solidariedade como um produto de troca. Não estabelecem relações humanas sólidas, como se vivessem na liquidez de Bauman, na qual nada se sustenta por muito tempo.

A solidariedade da troca é esvaziada de compaixão, pois não há como se compadecer sem dar sentido. Não é possível comercializar virtudes. A sociedade de consumo parece querer também precificar sentimentos e valores, o que acaba encurtando a visão das pessoas. Vamos nos acostumando aos clichês da ilusão do mundo perfeito, e nos tornando prisioneiros da imperfeição, acorrentados pela falsa sensação da zona de conforto.

O filme *Um dia, um gato*, um belíssimo drama tchecoslovaco de 1963 escrito e dirigido por Vojtěch Jasný, conta a história de um vilarejo cujos moradores têm a vida transformada com a chegada de um mágico e seu gato. Bizarramente, o gato usa óculos escuros e tem poderes mágicos. Quando os óculos são retirados, as pessoas para quem ele olha mudam de cor de acordo com seu caráter e seus sentimentos. Os mentirosos ficam roxos; os desonestos, cinza; os apaixonados, vermelhos; os infiéis, amarelos, e por aí vai. O mágico e o gato não estavam ali para entreter, mas para mostrar como verdadeiramente eram aquelas pessoas.

Tenho a impressão de que esse gato faria um estrago no mundo moderno. O aniquilamento diário das identidades produz o efeito do "des-pertencer": tudo beira a superficialidade, e não conseguimos mais saber se há verdade ou não à nossa volta, isso quando não somos surpreendidos por uma cor que ilusoriamente julgávamos ter, e que se revela completamente diferente pelos olhos do gato.

É fácil e cômodo ser solidário para responder a uma ordem moral. Mas de nada adianta esse comportamento se o coração não está agradecido pelas coisas mínimas da vida. Compaixão é totalidade no outro, resultando em solidariedade, generosidade, respeito, empatia, sentimento de pertença e gratidão. Só um coração livre é capaz de sentir alegria e deflagrar um processo natural de coisas boas, daquelas que silenciam a alma e fazem da consciência um deleite existencial.

"A conexão humana está sem sinal."

Anônimo (frase da Internet)

Compaixão como conectividade humana em tempos de conexão virtual

Nas últimas décadas, o tema globalização tem preenchido livros, artigos, *blogs*, *sites* e plataformas inteiras, tornando o assunto um mantra nas agendas de desenvolvimento do nosso século. É compreensível e importante o tamanho do espaço ocupado por esse tema, em especial pela avalanche tecnológica que impacta diretamente o nosso cotidiano. Entretanto, quando nos deparamos com o tempo cronológico e o tempo social da conectividade global, encontramos de novo a diferença social, que, por estar desalinhada com o mundo real, reforça a indiferença reinante em nosso espaço de convivência.

Considero a indiferença social um dos resultados mais perigosos e complexos da virtualização das relações sociais, por isso a preocupação de ajustar urgentemente essa conta tem que ser o ponto de reflexão das sociedades humanas. Um curtir, compartilhar, copiar ou colar não nos salvará do mundo de cliques, que deliberadamente se tornou o sentimento de pertença no mundo atual.

Como se a quantidade de seguidores ou amigos nas redes sociais resolvesse o elo perdido da dignidade humana no que se refere a noções como as de outrora, do tempo da vovó, quando a palavra valia a honra, o cuidado com o outro era premissa básica da cidadania e a compaixão, o respeito e a solidariedade ainda navegavam pela condição de valores inexoráveis de pertencimento.

A interconectividade, que nos é servida diariamente como o Santo Graal da perpetuação da espécie, impõe novamente uma ameaça evolutiva aos seres humanos, nos distanciando disfarçadamente à medida que nos aproxima, pelas telas de alta resolução, do falar em grupo em um monólogo trancafiado no quarto, olhando para uma câmera, discursando sobre todos os assuntos para muitos, para poucos ou apenas para si mesmo. Nessa fala não há preocupação com o outro que nos ouve, que a certa altura já se tornou uma mãozinha, um sinal de curtir a inteligência virtual.

Estar antenado, ligado, conectado é totalmente diferente de estar junto, presente, perto e vivo. A presença é preponderante para sobrevivermos à onda minimalista da inclusão digital a todo e qualquer custo — considerando que estar em conexão com tudo o que advém da tecnologia se tornou um critério de pertença. É evidente que a tecnologia, que pressupõe a globalização, nos traz muitas vantagens e benefícios, mas o bom uso desse aparato é o que vai nos dar os referenciais sobre os lugares para onde estamos caminhando com a presença do humano.

Não procuro e nem me apetece o rótulo de contestador da globalização, e daquilo que suas inovações, seja no campo da tecnologia ou no de outras grandes transformações, é capaz de realizar. Isso seria muito contraditório, até porque estou escrevendo este livro com o auxílio de uma supermáquina, que me possibilita fazer outras coisas ao mesmo tempo como, por exemplo, falar em tempo real com um amigo que está do outro lado do mundo. Negar o tempo presente é se anular da história do tempo futuro. Entretanto, esse tempo presente tem um elemento muito especial, que é o mesmo do passado. Se o apocalipse ainda não chegar, seja ele espiritual ou secular, será o mesmo do futuro: nós, os seres humanos, como condição permanente de perpetuação.

A política internacional está toda centrada na formatação da unicidade econômica, basicamente postulada para servir ao mercado em todas as suas áreas, e isso é indissociável da dimensão humana; afinal, as instituições financeiras e seus potenciais nichos de mercado só servem àqueles que pagam, e, ao não pagarem, como ficam os indivíduos com sua dignidade humana?

A dignidade humana é a preocupação iminente por trás da cortina do mundo moderno, que não aparece no tempo cronológico, mas se mostra em prantos e gritos silenciosos no tempo social. Falar de compaixão e humanidade em tempos de conexão virtual se tornou um grande desafio.

O filósofo camponês Pierre Rabhi disse certa vez, em uma entrevista, que o progresso que nos venderam com a modernidade é uma ilusão. Que, em vez de nos libertar, esse progresso nos aprisiona cada vez mais. Quando analisamos, num microrrecorte, essa contenda histórica entre Rabhi e o capital, podemos transpô-la para a globalização e o aprisionamento de outras frentes como, por exemplo, o esvaziamento das relações humanas em face das redes virtuais e o atual sistema de produção robótica das relações sociais. Ao considerarmos o espaço ocupado pela tecnologia em nossas vidas, não podemos perder de vista que tudo isso é produto da ação humana, da sua capacidade de gerar conhecimento, dando significado social para o encontro do nosso lugar-comum.

É nesse lugar-comum que vamos encontrar o sentido de pertencer, daquilo que em outro capítulo chamei de viver "no meio" e não viver "do meio". Despertar a compaixão como conceito de totalidade, em especial pelo tenso momento de intolerância em que estamos afundados, nos coloca diante de um grande desafio que nenhuma produção ou inovação tecnológica será capaz de resolver: o desafio de nos aceitarmos em nossa diversidade.

Para tanto, resgatar a velha discussão sobre o bem comum se torna fundamental quando refletimos sobre o mundo atual. A instabilidade tem sido a principal característica dos últimos tempos: nada se torna sólido, nem as relações entre as pessoas e nem as destas com o meio ambiente. Já não sabemos controlar o que nos rodeia, e muito menos compreender o que nos faz sermos tão distantes daquilo que está perto. Esse "chamado de perto" é o tempo todo visto como simples demais, algo que não atrai os olhos. Por isso, na maioria das vezes desejamos estar nas grandes estruturas, pertencendo ao que julgamos ser conveniente aos nossos interesses.

Tenho a sensação de que nada no chamado mundo novo parece sobreviver por muito tempo. Tudo é de uma absurda efemeridade, e esse lugar-comum, que antes era visível, hoje já não conseguimos mais identificar com facilidade. Tudo parece ter um dono, até mesmo instituições que sempre foram marcas importantes de acolhimento humano, como a religião, a escola, o trabalho e a família.

O conservadorismo tem esbarrado historicamente em suas contradições; a religião tem se transformado em um verdadeiro palco de guerra, mesmo tendo em sua essência o sentido de religar, de aproximar as pessoas de algo que lhes faça bem. É espantoso que haja tantos conflitos: o da religião A por discordar das religiões B e C, posicionando-se como autora da verdade, sem tentar estabelecer uma relação harmoniosa com os que pensam diferente. Esse é, afinal, um dos objetivos de qualquer religião: mostrar um lugar-comum, para que todos, independentemente de suas escolhas, possam estar ali, em busca de alternativas de renovação para suas vidas.

O filósofo alemão e neomarxista Marcuse, no livro *Cinco conferências*, publicado em 1970, declara: "Hoje temos a capacidade de transformar o mundo em um inferno e estamos a caminho de fazê-lo. Mas também temos a capacidade de fazer exatamente o contrário".

Precisamos do lugar-comum para compreender melhor a relação da vida com os sentidos que damos a ela. É uma forma de reagir aos padrões estabelecidos por estruturas de dominação, que antes ficavam sob as nossas vistas, mas hoje estão perigosamente disfarçadas, e somente quando confrontadas é que exalam suas impurezas por meio do ódio, do sectarismo social. Não se aceita que pessoas comuns, com histórias de vida comuns, intervenham nos rumos da nossa história.

O espaço comum é terra fértil do compadecimento, é o local em que encontramos os outros como eles são, sem as vestes daquilo que lhes confere algum poder. A cooperação, a solidariedade, a tolerância, a fraternidade, a docilidade, a amizade e a aceitação são manifestadas pelo simples motivo de que todos são comuns àquela espacialidade social.

Muitos intelectuais já discutiram o que seria a sociedade ideal, na qual as vontades e os direitos seriam integralmente respeitados. O filósofo iluminista Jean-Jacques Rousseau foi o pensador mais intrigante de sua época. Ele fazia críticas ardentes à sociedade burguesa, em defesa das camadas mais pobres e de uma humanidade baseada na justiça, na igualdade e na soberania do povo. Rousseau acusava a propriedade privada de ser o "agente corruptor" do homem. Ela seria a destruidora da liberdade social, da democracia, sendo por isso a construtora do despotismo, das desigualdades sociais e da corrupção da sociedade.

O pensador propunha uma sociedade na qual os homens fariam um contrato social. Por esse contrato, cada pessoa concordaria em se submeter à vontade geral, à vontade da maioria — é o que entendemos nos dias de hoje como democracia, apesar de muitos ainda terem certa dificuldade para compreender isso historicamente.

Prevaleceria, portanto, a vontade da comunidade, e não a de um indivíduo ou a do mercado. Todos se uniriam a todos, o homem seria livre, e haveria direitos iguais para todas as pessoas. Nessa sociedade não haveria nobreza e burguesia; todos seriam pequenos proprietários (camponeses e artesãos, por exemplo).

Rousseau foi um dos poucos iluministas realmente democráticos, e também um dos únicos a valorizar não somente a razão, mas também as emoções e os sentimentos. Fico pensando como seria a vida de Rousseau nas redes sociais, e como as pessoas interpretariam suas reflexões — mesmo que para muitos elas sejam ultrapassadas ou consideradas loucura.

Constitucionalmente, vivemos em uma democracia. Mas que ambiente democrático é este em que não podemos nos expressar? Existem veículos da imprensa que se dizem constrangidos por ações que cerceiam a liberdade de expressão, mas outros setores da comunicação fazem isso silenciosamente contra entidades e pessoas que não parecem ter o direito de se expressar, de dizer o que pensam, inclusive sobre estes próprios setores.

Com o advento das redes sociais, me parece que ficou mais difícil o diálogo. Essa suposição é contraditória: ao mesmo tempo que a tecnologia possibilita conversar em tempo real com pessoas em todo o planeta, vivemos uma guerra virtual, na qual alguns, sem nenhum compromisso com a verdade, escrevem o que querem e, ao apertar uma tecla, podem arruinar uma vida, uma carreira ou uma família.

Tempos atrás recebi uma mensagem pelo celular e vi que se tratava de um artigo cheio de inverdades a respeito de um amigo. Não pelo fato de ser meu amigo, mas por saber que aquilo não passava nem perto da verdade, fiz questão de perguntar se o colega que me enviou o artigo conhecia a pessoa apontada pelo autor, e ele respondeu: "Não conheço, apenas repassei".

E assim tem sido o lugar-comum, desde a Internet até as apropriações de espaços que antes eram de todos. Não podemos mais permitir procurar ser o que somos; temos que a todo momento responder aos novos critérios de pertencimento. Constantemente nos preocupamos com os códigos sociais, com o que exigem ou deixam de exigir de nós segundo a ordem daquele momento. Enfim, eu quero um lugar-comum para ser comum, estar entre os comuns, sem me preocupar em ser diferente, em ter destaque ou reconhecimento, nem que seja apenas para lembrar que sou humano.

A palavra "tolerância" tem origem no latim *tolerare* (sustentar, suportar). É um termo que define o grau de aceitação diante de um elemento contrário a uma regra moral, cultural, civil ou física. Do ponto de vista social, ser tolerante é ter a capacidade de aceitar o outro em seu convívio ou em seu grupo social, é ter a atitude pessoal e comunitária de compreender valores diferentes dos adotados pelo grupo de pertença original.

Em meu livro *A arte de pertencer*, sugiro que o pertencimento social é um dos grandes desafios deste século no que se refere ao desenvolvimento humano. O que me preocupa é saber que tolerar se transformou em uma competência, pois compreendo que, embrionariamente, a tolerância deveria ser algo natural entre as pessoas. Uma competência pressupõe habilidades a serem aperfeiçoadas, ou seja, além de tudo o que precisamos fazer para pertencer às novas redes de acesso, temos agora que transformar valores de aceitação e alteridade em ferramentas de desenvolvimento.

Entendo que a negação de tolerar também é uma forma de acepção, de separação, de exclusão do outro, e acho uma agressão que, toda vez que somos submetidos a essa situação por nossos iguais, acabemos experimentando um sentimento de anulação, de inferioridade. Quando bem exercitada, a tolerância se transforma em uma grande ação de renovo, primeiro para a nossa consciência e depois para os nossos relacionamentos, principalmente entre aqueles que não pensam como nós. Passamos pelo teste ao conseguir ultrapassar a barreira do orgulho; nesse momento, estamos prontos para sermos tolerados e para tolerar o que tanto nos incomoda.

A tolerância, ou a falta dela, tem sido produzida em grande escala pelos formatos da globalização e por suas inovações no campo da tecnologia, o que deflagra um processo de esvaziamento de humanização do nosso estado de convivência social. Não existe cidadania cibernética. É evidente que as redes sociais são importantes ferramentas para cultivar e potencializar agendas positivas, mas essa civilidade só é possível no mundo real, no contato com as pessoas, conhecendo suas histórias e seu localismo.

O escritor, dramaturgo e filósofo Albert Camus, em sua obra mais conhecida, *O mito de Sísifo*, faz uma abordagem cuidadosa sobre o existencialismo central do "absurdo", que tem origem nas nossas tentativas de dar sentido a um mundo sem sentido. Não podemos aceitar o "absurdo" como algo com que convivemos bem e que está sempre ali, como parte do cenário de nossas vidas. Aceitar tal condição é a aceitação da morte em vida. É preciso que nos renovemos diante de situações que geram o absurdo.

O inconformismo é a fonte para reverter situações adversas e promover a resiliência dentro de um contexto de protagonismo social, saindo do estado de vitimização para a ação protagonista, que não esmorece diante da adversidade; esse é o ponto-chave da dignidade humana, totalizante em todos os sentidos.

O matemático Alan Turing fez a seguinte pergunta: "Por que deveríamos supor que um computador que imita o comportamento de um ser pensante esteja realmente pensando?".

Tomo como base esse questionamento para refletir sobre os modelos sociais, que se reproduzem da mesma forma desde o colonialismo. Eles parecem seguir um processo de imitação sem fim, porque o ser pensante nunca mudou, e isso continua sendo uma característica muito singular da humanidade. Podemos, sim, reverter situações de conformismo, mas para isso precisamos mudar, sair da zona de conforto, ousar romper com aquilo que nos sufoca e nos oprime.

Pensar no mundo possível é mais desafiador do que projetar o mundo ideal, pois este é tendencioso. A ilusão do mundo ideal carrega consigo pleitos de ordem pessoal, motivo pelo qual voltamos à estaca zero, em que os egos e interesses individuais se engrandecem desproporcionalmente em relação aos valores que deveriam ser do interesse de todos. Para romper com esse modelo do dano, é necessário instituir o modelo do desafio, e para isso não se faz necessário um *software*, um aplicativo ou uma megaferramenta de tecnologia: basta que nos observemos e, melhor, que recuperemos a consciência da finitude, da efemeridade, agindo integralmente com compaixão, e tudo o que com ela brotará, como a justiça, o respeito, a solidariedade, o sentimento de pertença, de identidade social e tantos outros, que são preponderantes para estabelecer nossa conectividade humana.

"Tudo é precioso para aquele que foi, por muito tempo, privado de tudo."

Friedrich Nietzsche

Compaixão: tempo social *versus* tempo cronológico

Um conto judaico chassídico narra a história de um imperador que estava prestes a inaugurar sua nova ostentação de poder: um suntuoso templo que seria o maior de todos os impérios da época. Para tanto, o imperador deu ao bispo a missão de encontrar um poeta capaz de criar uma frase que causasse conforto e calmaria e que tocasse o coração das pessoas. A frase ficaria inscrita no centro de um painel de mármore gigante, bem na entrada da grandiosa construção.

O bispo, diligentemente, foi buscar o mais reconhecido dos poetas, que aceitou imediatamente o desafio. Quando chegou o dia da cerimônia de inauguração do templo, depois de toda a formalidade e de um discurso de duas horas do imperador, este se dirigiu ao grande painel de mármore para descerrar o belíssimo tecido branco que cobria a tão esperada frase. O monarca tinha preferido não conhecê-la antes, então haveria uma grande surpresa para todos. Após o toque da corneta imperial, ele puxou o tecido e todos puderam ler, enfim, o que estava escrito: "O avô morreu, o pai morreu, o filho morreu".

O silêncio tomou conta de todos que lá estavam, e o imperador, com uma expressão de quem não tinha gostado nem um pouco do que vira, exigiu explicações do autor da frase, que tranquilamente se dirigiu à frente e, com seu costumeiro tom poético, disse: "Caro imperador, conforme o senhor solicitou, aí está uma frase que atende ao pedido de calmaria e de conforto e que toca o coração de qualquer pessoa. Afinal, não há nada mais aconchegante do que as coisas acontecerem tudo ao seu tempo".

Acho maravilhoso esse conto. Ele nos traz muitas reflexões, mas vou me concentrar especialmente no título deste capítulo. Gostamos de planejar, organizar e prospectar o futuro. Existem muitas técnicas, cursos e ferramentas tecnológicas que oferecem essa facilidade. Mas, para isso, concentramos tudo no tempo cronológico, o real, que está para todos do mesmo jeito, que motiva a competição, a correria, a precipitação, a urgência e tantas outras coisas que ficamos alucinados em perseguir. Ouvimos a todo instante afirmações como "O tempo está passando", "A vida é só esta, corra", "Tempo é dinheiro", entre outras do imaginário popular.

Entretanto, não prestamos muita atenção ao tempo social, que é muito diferente do tempo cronológico. O tempo social não está disponível de forma igualitária para todos. Cada pessoa, por meio das suas experiências e oportunidades na vida, constrói esse tempo. Por isso, há indivíduos que, no tempo social, estão muito distantes das exigências do tempo cronológico. Compreendo que o mundo real não aceita desaforo, e quem não estiver apto a pertencer a ele certamente será alijado naturalmente. No tempo social, não é o mundo das coisas que circula: é o ser humano no seu estado de potencialidade. Não posso comparar, no tempo cronológico, um indivíduo com outro se não compreender sua historicidade social, sua origem, as oportunidades que teve na vida e depois fragilmente sustentar a balela do mérito a que somos submetidos na cronologia do tempo real. Temos que aceitar que somos diferentes no tempo social, e com isso estabelecer uma comunidade de sentidos entre nós. A frase "O avô morreu, o pai morreu, o filho morreu" nos convida a revisitar a nossa limitação quando as coisas saem da ordem do tempo cronológico.

A compaixão é um dos aprendizados do tempo social que não são compreendidos no tempo cronológico. Para se compadecer é necessário se sentir, antes de tudo, um igual, esvaziando-se de qualquer possibilidade de que o mundo do "ter" possa inflar o ego e sem achar que a bênção de um depende da maldição do outro, situações comuns do tempo cronológico. O aprender a ser um "igual" é o grande desafio para o tempo presente, considerando que as diferenças são aceitas naturalmente quando compreendemos que o outro é um igual na plenitude de ser o que é e o que quer.

Quando digo "igual", não se trata de uma fôrma ou da anulação da diversidade. Pelo contrário, meu objetivo é voltar ao tempo social, no qual, em algum momento, éramos felizes e indocumentados, desprovidos dos recortes do mundo material, sem nenhuma necessidade de assessórios morais para nos identificar.

Tenho um interesse muito particular por carros antigos. Quando posso ter, é um prazer absoluto conduzir um projeto automotivo de mais de trinta anos, sem nenhum conforto e tecnologia, tendo somente a estrutura, bancos e motor. Em uma das situações em que pude desfrutar de um veículo antigo, um amigo que me viu conduzindo o carro pela cidade se apressou em ligar para outro amigo em comum a fim de noticiar, em primeira mão, que provavelmente o Fernando Moraes estava passando por dificuldades financeiras —

como se isso tivesse um dia sido resolvido em minha vida. O tal amigo explicou que havia me visto circulando em um carro velho. Voltamos ao tempo cronológico. Perceba que esse amigo observador da vida alheia adota critérios de ordem material para definir o seu outro. Com base em uma perspectiva superficial de pertença, define, julga e compartilha a sua impressão do mundo.

Esse comportamento motivado pelos recortes de consumo tem sido mais efetivo atualmente. Acho curioso, por exemplo, que haja no Brasil uma legislação que tem por objetivo proteger o cidadão: o Código de Defesa do Consumidor. Se era para proteger o cidadão, então que se chamasse Código de Defesa do Cidadão. Sendo do consumidor, nos dá a impressão de que só quem consome é, de fato, cidadão, e quem não consome cidadão não é. São as esquizofrenias sociais do moralmente aceito, que leva em sua essência o tempo real, o cronológico.

Quando me propus a fazer esta contra-abordagem da compaixão, meu pressuposto eram exatamente as contradições impostas por um moralismo teatral do estado de convivência social. O caso do Brasil é emblemático dessa crise de valores. Somos um país com um grande número de prêmios de reconhecimento do "bem" que fazemos. O Brasil é o segundo do *ranking* em número de organizações, perdendo apenas para os Estados Unidos. Para muitos, pode parecer algo positivo, dando a entender que isso demonstra a participação da sociedade civil. Entretanto, quando o dado é examinado mais de perto, como já fiz na minha atuação como consultor do terceiro setor, constata-se que muitas organizações são fruto da vaidade de alguém. Um alguém que deseja parecer "bom" e iluminado aos olhos da sociedade utilizando uma identidade institucional para inflar o ego altruísta. A compaixão não precisa ser vista nem tocada, e sim sentida. Quando se modela um plano de visibilidade, é porque a solidariedade é moral e não humana. Moral no tempo cronológico e humana no tempo social.

Certa vez, fui convidado para a inauguração da nova sede de uma importante organização social da minha cidade. Era um evento suntuoso, com a presença de autoridades públicas de todos os poderes, empresários, artistas da região e notáveis lideranças do terceiro setor. O presidente da ONG proferiu um belíssimo discurso, afirmando o compromisso da instituição com a cidade, com as crianças atendidas, e que aquele seria o lugar de toda a comunidade. Encerrou com a frase: "Lugar de todos e para todos". Tudo estava indo muito bem até que, ao sair do prédio, chamou a minha atenção uma placa afixada na porta lateral, que continha a seguinte frase: "Entrada permitida apenas para membros". Uma declaração contraditória diante do que tínhamos acabado de ouvir. O discurso é um, e a prática é outra.

Assim, o tempo cronológico vai passando, e a competição, que antes era característica apenas do mercado, passa a estar presente no campo subjetivo dos valores. Começava ali um retrocesso em relação ao sentido de pertença: coloca-se o que era para ser natural entre nós sob a lógica perversa de se vangloriar e dizer quem é mais cidadão, mais honesto, mais solidário e mais altruísta. Por isso a compaixão, mais do que nunca, é uma necessidade de pertença e não pode ser concebida como um produto, seja ele moral, religioso ou de qualquer outra ordem. Estar atento ao tempo social das pessoas é um exercício permanente de alteridade social. Considerando que não existe uma ordem natural para viver em sociedade, somos nós que criamos essa ordem, e, pelo fato de ela ser artificial, somente em cooperação com os outros é que conseguimos transformar o que nos distancia e nos anula.

Em pleno século XXI, temos urgência de pautas que já se tornaram anacrônicas. Nunca se falou tanto em cidadania, solidariedade, tolerância, respeito e aceitação como nos dias de hoje, e isso comprova a nossa incapacidade histórica de sustentar a permanência. Gostamos da impermanência, e cultivá-la parece ser o nosso deleite. A experiência humana evidencia que não somos fruto apenas das condições que nos moldaram ao longo da vida, mas também da forma como nos apresentamos no tempo presente e da maneira como lidamos com ele. Preocupamo-nos em estar presentes na vida, pois há gente que só existe e não vive, e para isso temos que nos fazer presentes no outro e em tudo o que está à nossa volta.

"Os que negam a liberdade aos outros não merecem a liberdade."

Abraham Lincoln

Compaixão e liberdade

Vivemos em tempos de aprisionamento da alma. Vejo pessoas que se revestem de um comportamento moral mas que na realidade não testemunham aquilo que falam em seus discursos carregados de sentimentalismo. Trabalhei por um tempo no sistema prisional e pude experienciar, nesse período, muitas situações com os chamados presos, que sempre preferi chamar de pessoas em privação de liberdade, não pelo termo técnico usual dessa área, mas sim pela provocação que existe na terminologia.

Em boa parte da sociedade há uma tendência a achar que as pessoas que cumprem pena numa unidade prisional nasceram presas ou vieram de Marte direto para o cárcere. Ninguém nasce preso; todos aqueles indivíduos vieram do outro lado do muro. Não vou colocar em causa o sentimento de des-pertença que existe com relação à prisão. Entretanto, ouço frases de ódio, como: "Joga uma bomba lá dentro e mata tudo". As pessoas que dizem isso se esquecem de que amanhã poderão, por conta dos reveses da vida, estar lá dentro ou ter alguém que amam nessa situação. Afinal, o cárcere é uma vulnerabilidade a que estamos todos sujeitos.

Pior do que estar privado da liberdade de ir e vir é estar aprisionado a preconceitos, acorrentado pela intolerância e algemado pela falta de respeito às outras pessoas. Nas últimas eleições presidenciais no Brasil, pude ver de perto amigos que quase perderam o domínio próprio, colocando todo o seu ódio para fora. Passei a ver alguns de modo diferente depois do processo eleitoral, talvez tendo mais cuidado com as impressões, sobretudo em relação aos mais próximos que, durante muito tempo, conseguiram usar vestes morais, mas que, no fundo, se sentiram acolhidos por um discurso de intolerância e aniquilação de quem não pensa igual.

Confesso que sofri muito nesse período, apesar da sensação de que o pior ainda estava por vir. Uma desconstrução imediata de direitos fundamentais que, durante décadas, foram pauta de luta e determinação; alguns perderam a vida em função de uma causa maior. De repente a história virou pó, tudo se resumia a rodapés das redes sociais, em um processo nunca visto de formação de uma indústria de deflagrar mentiras. Para variar, muitos, sem a menor ideia da peneira de Sócrates, foram assumindo opiniões como verdades absolutas, a ponto de beirarem a selvageria quando contrariados.

Em sua filosofia existencialista, Sartre nos presenteia com a ideia de que a liberdade é por si mesma uma condenação, e, sendo assim, estamos todos condenados a sermos livres. Esse filósofo se debruçou incansavelmente sobre as dores da existência humana.

Fico imaginando quão debilitante é viver aprisionado emocionalmente, com raiva do mundo, como se tudo fosse culpa de alguém. A cada palavra proferida, a pessoa parece querer atingir o outro, não se entusiasma com coisa alguma, está sempre desmerecendo os demais e insiste em querer ter razão. Esses indivíduos são indiferentes a tudo, gélidos e insensíveis. Albert Camus, em seu primeiro registro no estreante diário, fez a seguinte anotação: "Certo número de anos sem dinheiro basta para criar toda uma sensibilidade".

Será que é necessário passar pela tormenta para revisitar valores, comportamentos, olhares e conceitos sobre a vida? Camus, no livro *O mito de Sísifo*, baseado em um episódio da *Odisseia* de Homero, conta a história do rei Sísifo, que, depois de muito desafiar os deuses com sua arrogância, recebe o castigo de empurrar uma pedra até o alto de um monte. A cada vez que ele se aproxima do topo, a pedra escapa e rola declive abaixo, e então Sísifo precisa voltar e recomeçar a subida. Numa provocação existencial, Camus questiona: "Se a vida se revelar tão inútil quanto o trabalho de Sísifo, de que maneira reagiremos?".

Esse reagir é o ponto central de uma existência fraudada pelos conceitos morais da tradição. Vivemos com vários personagens, e eles, de vez em quando, mostram a sua verdadeira identidade, o que pode nos assustar, surpreender ou convencer de que valeu a pena pagar o ingresso, a vida. Entretanto, a compaixão, quando também encarada por meio de um roteiro teatral, dramático ou como vestimenta moral, traz essa apatia diante da vida. Conheço algumas figuras que externam o tempo todo a sua filantropia e o seu altruísmo, mas são incapazes de renunciar à sua zona de conforto em função de quem precisa.

Esses indivíduos fazem o que fazem aprisionados no conformismo, no imediatismo e na ilusão de darem uma resposta para quem quer que seja. Compaixão é um ato de liberdade, de estar livre emocionalmente do outro. Sem amarras, sem necessidade de dar respostas a qualquer rito de controle.

Outro dia, um aluno me mostrou um manual de voluntariado, criado pelo instituto em que ele trabalha. Como todo manual, o livro continha todos os passos, caminhos, regras, o que deve ser feito, o que não deve ser feito e assim por diante. Um calhamaço de regramento e tutoria para se fazer o bem, como se isso fosse uma disciplina da educação formal. Se não há causa, crença, sentimento de pertença, consciência de classe, de humanidade, tudo se esvai, não permanece, deflagrando o contrassentido.

A liberdade é o grande tema da obra-prima *O ser e o nada*, de Jean-Paul Sartre. Esse livro foi escrito em meio a um momento tenso e delicado na França, onde a liberdade estava ameaçada pela invasão do exército nazista. Sartre faz um extenso exame da liberdade humana, construído com base numa visão simples. O autor enfatiza que a liberdade nos aterroriza, mas não podemos escapar dela porque somos liberdade. E o grande desafio está na responsabilidade de escolher. Quando fazemos uma escolha, estamos atribuindo valor a isso, o que gera em nós uma responsabilidade. A compaixão como conceito de totalidade é também uma escolha atribuída de valor. Para Sartre, o poder de escolher, que é próprio da liberdade, nos torna responsáveis não somente por nós, mas por toda a humanidade.

Quando exercida com liberdade, a compaixão gera uma sensação de que os outros são companheiros e não uma ameaça. Amartya Sen, no seu livro *Desenvolvimento como liberdade*, traz uma nova abordagem para que possamos compreender conceitos tão complexos como a miséria, a pobreza, o bem-estar social e a fome. No livro, Sen faz uma análise muito detalhada sobre o papel do desenvolvimento, contrapondo-o ao conceito histórico de associar o desenvolvimento somente por meio de fatores como o crescimento do produto interno, renda pessoal, industrialização, avanço tecnológico e modernização social. Evidentemente, ele considera esses fatores muito importantes para a expansão das liberdades, entretanto propõe um novo olhar ao afirmar que o desenvolvimento econômico não pode ser visto com um fim em si mesmo, mas deve estar relacionado à melhoria de vida das pessoas e ao fortalecimento de toda e qualquer liberdade.

De acordo com Sen, esse fortalecimento das liberdades é indissociável do investimento nos serviços de educação, saúde, direitos civis e outros, como agentes promotores do poder de escolha. O professor de economia e filosofia da Universidade de Harvard diferencia as liberdades em constitutiva e instrumental. A primeira categoria se refere às liberdades substantivas, que são as capacidades elementares, como ter condições de evitar privações, ter participação política e liberdade de expressão. Já a liberdade instrumental diz respeito à liberdade que as pessoas têm de viver do modo como bem desejarem.

Com as considerações de Amartya Sen, insisto na quebra do paradigma de uma cultura histórica assistencialista, na qual o poder econômico é o norteador do acúmulo das liberdades. Em face da liberdade substantiva de Sen, a compaixão passa a ser uma ação de cidadania, que desperta nas pessoas o desejo de fazer escolhas a partir de um critério de pertença social, e não meramente como fator econômico. Dessa forma, as pessoas tornam-se protagonistas de suas histórias para poderem desfrutar da liberdade instrumental.

Compadecer-se é compreender que o outro também é portador de liberdades. Alguém que temporariamente está numa condição vulnerável não pode ser visto como um produto, que desperta uma bondade comercial. É um companheiro. Quando compreendemos os outros como companheiros, vivenciamos o pertencimento, que é o resultado da compaixão em sua totalidade, aflorando a sensação deleitosa de como "é bom estar aqui".

"A medida de uma alma é a dimensão do seu desejo."

Gustave Flaubert

Compaixão e suas dimensões

A compaixão como totalidade se dimensiona pela tolerância, pelo amor, pelo intelecto e pela esperança. Como isso tudo acontece de forma concomitante, o ato de se compadecer é integral e totalizador. A compaixão, quando concebida dentro do visível, da necessidade de mostrar aos outros, é somente uma vestimenta que encobre a realidade. A compaixão é crível; deve-se acreditar no que se está fazendo. Embora não seja tangível, compadecer-se é a ação que dará vida a todas as dimensões.

Na dimensão da tolerância, a compaixão se abriga nas diferenças, reconhecendo a diversidade e a vida alheia como algo especial e singular, o que é diferente do que acontece muitas vezes na religião, em especial no cristianismo, no qual a compaixão é o grande ensinamento de Jesus Cristo, embora o testemunho de muitos que se autointitulam cristãos seja completamente diferente daquele oferecido pelo mestre.

Também pude observar muito esse comportamento no último processo eleitoral brasileiro. Nas redes sociais, vi o chamado cristão iniciar o dia com mensagens bíblicas e depois passar o tempo todo ofendendo as outras pessoas, desejando até a morte de algumas, pelo simples fato de não compartilharem o mesmo pensamento e serem diferentes. No encerrar do dia, esses indivíduos se revestiam novamente da veste de propagadores da palavra santa, com mensagens de agradecimento divino pela vida, pelo amor, pela misericórdia, pelo perdão e assim por adiante.

Na dimensão do amor, a compaixão é a verdade que se manifesta no mais terno olhar, no abraço acolhedor, no simples fato de estar presente no outro. É um processo emocional que torna a outra pessoa uma extensão de nós. Essa dimensão da compaixão, muitas vezes, é a mais usual, e não leva em consideração as demais dimensões. Quando isolada, deflagra os imediatismos; entretanto, sem essa dimensão, tudo fica vazio.

Como afirmou Alfred Adler ao elaborar a psicologia do desenvolvimento individual, "É o indivíduo que não está interessado no seu semelhante quem tem as maiores dificuldades na vida e causa os maiores males aos outros. É entre tais indivíduos que se verificam todos os fracassos humanos".

É na dimensão do intelecto que geramos a ação para o outro. Esse é o meio pelo qual nos educamos para a pertença. Nesse diapasão, rompemos com a lógica da ajuda pela lógica da justiça e passamos a considerar injusto que pessoas sobrevivam, o que já significa estar em desvantagem. Entretanto, imprimimos um olhar aos outros segundo o qual a dignidade humana está em poder viver com possibilidades de escolhas e de ser feliz, independentemente de agradar aos outros. No livro *A coragem de não agradar*, Ichiro Kishimi e Fumitake Koga nos conduzem, por meio da filosofia, a refletir sobre as possibilidade de nos libertarmos da opinião dos outros, superarmos nossas limitações e nos tornarmos a pessoa que desejamos ser.

E para isso o intelecto se faz necessário: temos que ser inteligentes quando intervimos na vida alheia. Não basta o sentimentalismo; quando colocamos o coração no sofrimento alheio, precisamos estar conscientes de que o sofrimento é do outro, e que nossa capacidade está simplesmente em reconhecer que existe ali uma vida humana, com condições de reverter as próprias vulnerabilidades, desde que sejam oferecidas a esse indivíduo condições de ser protagonista da sua realidade — e não vítima.

É como a história do homem que estava perdido na floresta. Havia vários dias ele se encontrava naquela penumbra, muito debilitado, com fome, sede e frio. Até que uma noite, quando já sem nenhuma força se entregava à morte, o homem viu uma luz. Era um clarão muito forte e que se movimentava. Ele se arrastou ao encontro da luz e viu outro homem. Foi se aproximando e se surpreendeu ao ver que o sujeito usava óculos escuros e tinha uma lanterna nas mãos. Então, perguntou:

— Você é cego?

O segundo homem, com tranquilidade, respondeu:

— Sou sim.

— Então por que você está usando uma lanterna?

— A lanterna não é para mim, mas para que os outros me vejam.

Na compaixão da dimensão do intelecto, devemos sempre buscar achar a lanterna no outro, assim como no caso do cego que é visto e não vê. Esse personagem consegue ter uma compreensão de mundo muito mais aguçada do que aqueles que acham saber tudo por enxergarem, julgando tudo o que veem pela frente. O sentir revestido de pensar não julga pelo que enxerga, mas se contenta em ser luz para alguém.

Na sequência da dimensão do intelecto, a compaixão confirma o seu propósito em sua totalidade quando atinge a dimensão da esperança. Quando conseguimos despertar nas pessoas o desejo de esperançar, tudo se transforma. É o mais alto nível de empoderamento. Eu me lembro de uma longa conversa com um *soba*, chefe tribal que conheci em Angola. Ele me contou tudo o que passou e viu na guerra civil do seu país, que matou milhares de pessoas. No genocídio, o homem perdeu as pessoas que mais amava na vida. Viu, aos treze anos de idade, a mãe e as duas irmãs serem estupradas e mortas, viu os irmãos maiores serem levados como escravos e até hoje não teve qualquer notícia deles. Enquanto o ouvia falar, observei nos olhos do *soba* uma constante emoção de esperança, pois a cada relato ele fazia questão de agradecer o fato de estar vivo e de fazer a diferença na vida dos que, como ele, tinham passado por toda aquela tragédia.

A dimensão da esperança é a alma da compaixão, como bem explica o rabino Nilton Bonder:

> Quando o cérebro se faz necessário, os músculos não dão conta.
> Quando o coração se faz necessário, o cérebro não dá conta.
> Quando a alma se faz necessária, o coração, o cérebro e os músculos não dão conta.

Nada fará sentido se a esperança não estiver no centro da vida. Na minha trajetória de trabalho com pessoas em profunda condição de vulnerabilidade social — considerando que a minha origem é de minorias, e que, por isso, não existe acesso econômico ou nível intelectual que possa me fazer esquecer dessa historicidade —, a esperança sempre foi a chama acesa para não sucumbir ao conformismo. Quando conseguimos nos compadecer com esperança, promovendo nas pessoas o que elas possuem e não o que lhes falta, a reversão social de sentidos se torna imediata.

Mesmo que tudo pareça terra arrasada, quando se aviva a ação de esperançar, tudo se manifesta diferente. Se a minha maneira de pensar também define a minha forma de sentir, é no subjetivo que consigo provocar as grandes mudanças. Não bastam a cesta básica, o agasalho, o colchão e o cobertor para as noites frias: a compaixão compreendida em todas essas dimensões nos possibilita compreender também o nosso lugar no mundo.

Sempre ouço de altruístas profissionais de plantão frases de compadecimento envoltas em um clima cinzento de dor e sofrimento alheios, como condição de *glamour* de egos bondosos. Em seus discursos, é comum ouvir: "Fui servir caldos para os pobres que moram nas ruas, e tocou o meu coração vê-los desesperadamente devorar aquela refeição, talvez a única do dia". Não quero parecer radical ou implicante. Apenas proponho um novo olhar sobre fazer o bem, desmistificando essa cultura assistencialista, uma herança típica de colônia que insiste na permanência de um discurso burguês. Os autores desse discurso se alimentam da tragédia dos outros, se travestem de caridosos até o momento em que se sentem ameaçados, lembrando que, ainda hoje, o chamado "pobre" não pode prosperar, não pode ter carro novo, casa própria e muito menos frequentar aeroporto.

Para muitos, o "adote um pobre e ganhe o reino dos céus" é uma ostentação da bondade que se torna tão pobre do ponto de vista humano, regrando-se apenas pelo ter. Na verdade, a pessoa que pensa e age assim carrega consigo um ego que sustenta a falsa ilusão, em seu próprio aprisionamento existencial, de que é alguma coisa.

"O dever é uma coisa muito pessoal; decorre da necessidade de entrar em ação, e não da necessidade de insistir com os outros para que façam qualquer coisa."

Madre Teresa de Calcutá

Compaixão e dever

Quando a compaixão começa a ser parte do clientelismo social, perigosamente entramos numa zona de contradições. Para muitos, a capacidade de se compadecer é um valor; para outros, uma competência; para alguns é um sentimento, e assim por adiante. Já a contemplo em todas essas esferas, e compreendo que todas são indissociáveis, sobretudo quando conseguimos transpor essas esferas para o nosso cotidiano, trazendo a compaixão para o campo da cidadania integral. Se cidadão é o que doa e não o que recebe, como definiu magistralmente o saudoso geógrafo Milton Santos, tratar a compaixão como dever é dar solução para um estado de direitos ameaçado pela falta de dever. Dever ser, dever estar, dever aprender, dever conviver, dever ser solidário e tantos outros que vamos esquecendo na dinâmica de uma sociedade consumista e individualista.

Quando Gabriel García Márquez, escritor e Prêmio Nobel de Literatura, foi convidado para ser o paraninfo de uma turma de formandos do Liceu Nacional de Zipaquirá, na Colômbia, em 1944, terminou o seu discurso assim:

> [...] quando vos digo que este grupo de rapazes está destinado a perdurar nos melhores daguerreótipos da Colômbia, todos eles vão à procura da luz, impulsionados por um mesmo ideal. Agora que ouviram as qualidades de cada um, vou lançar a sentença que os senhores, como juízes de consciência, deverão considerar: em nome do Liceu Nacional e da sociedade, declaro este grupo de jovens, com as palavras de Cícero, membros plenos da academia do dever e cidadãos da inteligência. Honorável auditório, termino o procedimento.

Que expressão forte, "membros plenos da academia do dever e cidadãos da inteligência". Acho fantástica a completude: dever e cidadãos. Uma dualidade historicamente tão fragilizada em nossa cultura clientelista, onde tudo é compreendido como devido, fazendo com que muitos passem a vida com esse comportamento.

Dia desses, encontrei um amigo. Nem me lembrava quando o tinha visto pela última vez. Talvez ainda na adolescência, na época em que estudávamos juntos. O amigo me relatou toda a sua vida em meio a muitas lamentações, sempre se colocando como vítima dos acontecimentos, que o impediam de estar numa situação melhor. Na verdade, senti uma necessidade dele me justificar, através do fator econômico, o que para ele era mais importante: o porquê de estar desempregado ou qualquer outra coisa do mundo aparente.

Durante a conversa — ou melhor, o monólogo, pois somente o amigo falava —, resolvi fazer uma intervenção, perguntando sobre a família, pois sabia que ele tinha filhos. Notei que houve uma inércia a princípio, e aos poucos pude perceber uma alegria nos olhos dele, que orgulhosamente passou a falar dos filhos e da esposa. A filha mais velha já estava na faculdade, o mais novo estava fazendo um curso técnico. Assim, o assunto rendeu, e nós desfrutamos de um bom papo sobre o que realmente é importante nesta vida.

COMPAIXÃO

As pessoas estão condicionadas a reclamar o tempo inteiro. É como uma defesa em meio a um coletivo despreparado para lidar com frustrações, em que o sucesso é vendido como critério de pertença. Quando confrontadas sobre o que deixaram de fazer, emerge um sentimento de repúdio e tudo passa a ser inferno. O estado de dever é dispendioso, é duro, exige compromisso, não há espaço para desculpas, mas tudo se torna prazeroso quando o resultado é o estado pleno de direito. É como acontecia conosco quando os nossos pais deixavam claro que era prioritário fazer o dever, a tarefa escolar, arrumar o quarto para só depois brincar à vontade. Por que não trazemos isso para o mundo adulto no campo da cidadania?

Vivemos em tempos de escassez de consciência coletiva. Como afirmou Sartre, a escassez joga uma pessoa contra a outra na disputa pelo que é limitado, e isso está atingindo cada vez mais as relações humanas nos elos de pertença. Essa limitação está presente quando o consumo começa a estabelecer uma ilusão de conforto. A ilusão do confortável vai nos afastando do que é real, o que torna comum presenciarmos ostentações que são contraditórias diante daquilo que vive na média a população mundial. A zona de conforto produz uma limitação da visão de futuro, erguendo altos muros de pedras, criando um mundo onde são as coisas que comandam, e não os valores humanos.

A partir dessa ilusão do confortável se inicia o processo debilitante da solidariedade de prateleira, que nem sempre está à disposição, mas só acontece quando alguém pede. Quando isso acontece, a resposta é "vou lá ver o que tenho", dentro de uma concepção da sobra, e não de uma solidariedade da compaixão como dever. Essa compaixão não se sustenta pela ilusão moral, mas faz acontecer pela consciência do outro igual, que não merece estar numa situação que fere a sua dignidade humana.

É a "magnífica ilusão" de Viviane Forrester, em seu best-seller *O horror econômico*, que vem extraindo as raízes da importância de nos preocuparmos com os outros. Essa ilusão é substituída por fábulas perversas que tornam a discussão da solidariedade um espaço apenas dos que têm para os que não têm, o que gera uma opacidade social e promove uma espiral de silêncio e de conformismo. Aprisionado em rótulos, o "fazer o bem" se mostra bonito, prazeroso e angelical. Dentro de uma concepção de estado de dever, o bonito passa a ser importante, o prazeroso passa a ser pertença e o angelical passa a ser uma condição existencial.

A sociedade do consumo criou o "apego do eu" e exterminou a "preocupação com os outros". De valor humano, a compaixão passou a ser um produto de mercado. Nos últimos trinta anos, vivemos uma revolução de inversões de valores. Gabriel García Márquez dizia que perdemos nesse período as melhores virtudes humanas: o idealismo febril e a prioridade dos sentimentos, o susto do amor.

Assim como no conceito de cidadania, ao qual devemos prestar atenção nas entrelinhas, a compaixão também não pode ser concebida somente com o significado que lhe deram nos dicionários. Se pesquisarmos nas várias fontes de significado a palavra "compaixão", vamos certamente nos deparar com: "um sentimento piedoso de simpatia para com a tragédia pessoal de outrem, acompanhado do desejo de minorá-la; participação na infelicidade alheia que suscita um impulso altruísta de ternura para com o sofredor".

Em nenhum momento tenho a pretensão de anunciar um novo conceito sobre o tema. O que procuro com este livro é trazer uma reflexão dentro de um paradoxo em relação ao momento atual de desconstrução de valores humanos. Quando proponho o dever como característica do ato de se compadecer, é justamente para sair do rito conformista e famigerado da autopromoção sustentada pela infelicidade e pela tragédia alheias.

Colocar o dever como viés é dar à compaixão, em seu sentido mais profundo, uma totalidade em sua ação. Como um olhar vigilante para o mundo à nossa volta, que não se acostuma com o sofrimento e a dor do outro, mas que enfrenta junto, que não esmorece diante das dificuldades e é capaz de renunciar às ilusões do mundo confortável para estar pleno e presente diante de quem precise.

Compaixão para ser, ter, conviver, estar junto, ser uma extensão do outro, ponte, alento, consolo, abraço, acolhida, avivamento, empoderamento, contraponto, despertar, renovar, movimento, alegria, e, para isso e tantas outras coisas, sair do estado da inércia somente de receber para dever agir, existir, produzir, promover, fazer, compreender e dar vida ao que foi esquecido tanto nos outros como em nós mesmos.

"O ato ético é um ato de religação: com o outro, com os seus, com a comunidade, e uma inserção na religião cósmica."

Edgar Morin

Compaixão e comunidade de sentidos

O genial Gabriel García Márquez passou dezenove anos desenvolvendo a ideia do livro *Cem anos de solidão*. Num discurso na cidade de Caracas, na Venezuela, fez um breve relato sobre a difícil arte de escrever. Na época, com apenas cinco livros lançados, o escritor confidenciou aos presentes que, mesmo depois de ter seus conteúdos publicados, havia chegado à conclusão de que o ofício de escrever talvez seja o único que, quanto mais se pratica, mais difícil fica.

Márquez confidenciou, naquela ocasião, que nunca sabia quando escreveria um novo livro: ficava simplesmente esperando a inspiração aparecer e, quando surgia uma ideia boa para escrever, se punha a dar voltas com ela na cabeça e a deixava por um tempo amadurecer em seu imaginário. Acho isso fantástico. Tenho nesse escritor uma grande fonte de inspiração, o que certamente os leitores já perceberam em capítulos anteriores. Mas essa inspiração não está somente na sua literatura, famosa em todo o mundo, digna de um autor consagrado entre os melhores que a história humana já produziu. O que aprecio, e muito, são os bastidores da escrita, como o autor se faz antes da palavra, do texto e da capa. Em Márquez me identifico com esse imaginário no qual amadurecem as ideias e os sentidos.

Veja, por exemplo, a história que, no evento de Caracas, ele contou para os felizardos da plateia:

> Imaginem um povoado muito pequeno, onde existe uma senhora velha que tem dois filhos, um de dezessete e uma filha menor, de catorze. A senhora está servindo o café da manhã para os filhos, e nota-se nela uma expressão de muita preocupação. Os filhos perguntam o que ela tem, e ela responde: "Não sei, mas amanheci com o pensamento de que alguma coisa muito grave vai acontecer neste povoado".
> Os dois riem dela, e dizem que são pressentimentos de velha, coisas que acontecem. O filho resolve ir jogar bilhar, e, no momento em que vai fazer uma carambola simplíssima, o adversário diz a ele: "Aposto um peso como você não consegue". Todos riem, ele ri, mas tenta e de fato não consegue. Paga um peso e ouve a pergunta: "O que será que aconteceu, se era uma carambola tão simples?". Diz: "É verdade, mas fiquei preocupado com o que a minha mãe me disse esta manhã, sobre alguma coisa grave que vai acontecer neste povoado". Todos riem dele, e o que ganhou volta para casa, onde está sua mãe com uma prima ou uma neta ou, enfim, uma párente qualquer. Feliz com seu peso, diz: "Ganhei este peso de Dámaso, e da maneira mais simples, porque não conseguiu fazer uma carambola simplíssima, estorvado de preocupação porque a mãe dele amanheceu hoje com a ideia de que alguma coisa muito grave vai acontecer neste povoado".
> Então a mãe diz a ele: "Não deboche dos pressentimentos dos velhos, porque às vezes acontecem". A parente ouve tudo isso e sai para comprar carne. Ela diz ao açougueiro: "Quero meio

quilo de carne", e, no momento em ele está cortando, ela acrescenta: "Ou melhor, me dê logo um quilo, porque estão dizendo por aí que alguma coisa grave vai acontecer, e é melhor estar preparada". O açougueiro entrega a carne e, quando chega outra senhora para comprar meio quilo, diz a ela: "É melhor levar um quilo porque o pessoal está dizendo que alguma coisa grave vai acontecer, e está todo mundo se preparando, comprando coisas". Então a velha responde: "Tenho vários filhos; olha aqui, é melhor dar logo dois quilos". Leva os dois quilos e, para não espichar a história, digo que em meia hora o açougueiro vendeu todo o seu estoque de carne, matou outra vaca, vendeu tudo e o rumor foi se espalhando. Até que chega o momento em que todo mundo no povoado está esperando que alguma coisa aconteça. As atividades são paralisadas, e, de repente, às duas da tarde, faz o calor de sempre. Alguém diz: "Vocês estão percebendo o calor que está fazendo?". "Mas aqui sempre fez muito calor." Tanto calor que é um povoado onde todos os músicos tinham instrumentos remendados com breu e tocavam sempre na sombra, porque se tocassem ao sol os instrumentos cairiam aos pedaços. "Mesmo assim" — diz alguém — "nunca fez tanto calor a esta hora".

No povoado deserto, na praça deserta, baixa de repente um passarinho, e corre a voz: "Tem um passarinho na praça". E todo mundo vai, espantado, ver o passarinho. "Mas, meus senhores, sempre houve passarinhos que pousam na praça." "Pois é, mas nunca a essa hora." Chega um momento de tamanha tensão para os habitantes do povoado, que todos estão desesperados para ir embora mas ninguém tem coragem. "Eu, sim, sou muito macho", grita um deles, "e vou-me embora". Pega seus móveis, seus filhos, seus animais, mete tudo numa carreta e atravessa a rua principal, onde o pobre povo está vendo aquilo. Até o momento em que dizem: "Se ele se atreve a ir embora, pois nós também vamos", e começam a literalmente desmontar o povoado. Levam embora as coisas, os animais, tudo. E um dos últimos a abandonar o povoado diz: "Que não venha uma desgraça cair sobre o que sobra da nossa casa", e então incendeia a casa e outros incendeiam outras casas. Fogem num tremendo e verdadeiro pânico, feito um êxodo de guerra, e no meio deles vai a senhora que teve o presságio, clamando: "Eu falei que alguma coisa muito grave ia acontecer e disseram que estava louca".

O imaginário exprimido neste conto é de um refinamento criativo singular. Da história em particular podemos retirar várias reflexões, sobretudo avaliando como o imaginário coletivo é capaz de criar instantaneamente uma comunidade de sentidos. Quando insiro a compaixão em um imaginário coletivo, estou dando a ela sua funcionalidade social, que vai transitar na luta política e consequentemente no campo ideológico e utópico. Importar-se com o sofrimento dos outros, mesmo que a vida alheia não corresponda às minhas convicções, é a prova cabal de que há ainda esperança na humanidade.

Recentemente, um político eleito deputado federal, depois de muitas ameaças sofridas em virtude de seus posicionamentos e das bandeiras que defende, decidiu abrir mão do novo mandato para preservar a própria vida e a da família. Com o advento das redes sociais, o julgamento se tornou linchamento. As pessoas não se importam com a vida que ali está, não se preocupam com os sentimentos do outro nem com o trauma que causam ao compartilhar notícias falsas ou até mesmo suas impressões pessoais.

Diante do episódio envolvendo esse deputado, novamente me coloquei de plantão apenas para observar os amigos virtuais das minhas redes. E mais uma vez vi alguns que conheço na vida real, cidadãos que apresentam conduta irrepreensível no mundo virtual, religiosos, defensores da moralidade e guardiões dos valores da família e de Deus, mas que, nas telas iluminadas de seus *smartphones*, voltam ao estado animal, vociferando ofensas impublicáveis quando pensamos no mínimo de civilidade. Não se colocam em nenhum momento no lugar do outro, se fecham em seus conceitos e preconceitos, sem dar chance a si mesmos para serem pessoas melhores.

Numa conversa com um amigo, pastor de ofício, ouvi a seguinte frase: "É bom mesmo que esse fulano vá para fora do Brasil. É um a menos para espalhar o pecado entre nós". Como se ele fosse o próprio Deus, determinando o que é pecado e como devemos combatê-lo. Sem contar que o que ele chama de pecado é uma confusão entre as suas verdades e a maneira como as impõe aos outros. E isso é o de menos. O pior é ele, como religioso, pregar o ódio ao seu semelhante, contrariando um dos textos mais lindos da sua religião, que está no Livro de Levítico, no capítulo 19, versículo 18: "Amarás o teu próximo como a ti mesmo".

Sendo assim, o desafio de nos mobilizarmos para a construção de um imaginário coletivo de pertencimento, que ultrapasse as diferenças, sejam elas de ordem religiosa ou secular, é emergencial. O caos telúrico já se instalou, então temos que recriar urgentemente o nosso espaço de convivência, o nosso lugar-comum. E a compaixão em sua totalidade, no universo da cidadania, praticada no cotidiano, é um dos elos para deflagrarmos uma comunidade de sentidos, mesmo que sirva para sairmos em desespero do povoado da história de Gabriel García Márquez.

"A verdadeira felicidade vem da alegria de atos bem-feitos, do sabor de criar coisas renovadas."

Antoine de Saint-Exupéry

Compaixão e renovo

No meu livro *Renovo: o poder de se reinventar*, faço uma abordagem sobre a importância de impactarmos a vida das pessoas. Apesar de o tema sugerir um ar de autoajuda, minha intenção foi a de levar ao leitor uma reflexão sobre um novo tipo de ajuda: a ação protagonista, saindo do campo do assistencialismo para uma espacialidade de transformação.

No voluntariado da maneira que conhecemos, um grupo de pessoas se reúne para promover ações imediatas, como limpar a praça do bairro, pintar o muro da escola ou arrecadar agasalhos para doar aos "necessitados". Não há nada de errado nesse tipo de ação, apesar do seu caráter transitório e imediatista, mas estou propondo um novo voluntariado, que chamo de "alterativo": as pessoas, com seus dons, talentos e habilidades, ofertam o que sabem fazer de melhor para outras pessoas. Isso muda tudo. É aí que mora o renovo, que transforma e que impacta a vida alheia. Trazendo para a compaixão, o renovo se torna uma ação integral. Soa quase como algo divino, capaz de renovar essa outra vida, trazê-la de volta para sonhar, reviver e esperançar.

Em uma missão no sertão brasileiro, fiquei numa comunidade isolada do mundo, sem energia elétrica ou qualquer infraestrutura. A água era escassa, e as pessoas viviam sempre à beira do mínimo. O meu trabalho era parte de um grande projeto de uma organização internacional, que implementava ali um inovador programa de segurança alimentar, e a minha função consistia em organizar as lideranças dessa comunidade e fazê-las compreender que aquela inovação só faria sentido se fosse realmente importante e necessária para suas vidas e as dos seus.

Nós nos reuníamos diariamente, dividíamos a comunidade em partes e cada um saía com a responsabilidade de conversar com os vizinhos e mostrar que aquilo seria deles; se não estivessem convictos da sua própria importância, nada aconteceria. E assim foi durante trinta dias. Criamos entre nós uma verdadeira comunidade de sentidos, em especial depois que a organização social atendeu ao meu pedido de que os técnicos, que eram engenheiros agrícolas, pudessem morar na comunidade e não nos hotéis da cidade mais próxima. Isso porque eu havia percebido que o fato de eles irem embora ao final do dia quebrava um elo de pertença, deixando um vácuo na relação do "estou aqui" e do "estou junto".

Com o fim da missão se aproximando, chegava a hora de a comunidade se apropriar daquele projeto, de ser o ponto de sustentação de todo o conhecimento que aquelas pessoas haviam experimentado. Cada um tinha sua roça repleta de alimentos, cultivados com técnicas que levavam em consideração os saberes locais. Era muito bom sentar no fim de tarde e se deleitar ao ver a renovação da esperança nos olhos daquelas pessoas. Não há melhor resultado do que esse no campo da solidariedade, em especial quando reconhecemos que o outro, apesar da sua vulnerabilidade social, é capaz de ser um agente de transformação da sua própria vida e do que está à sua volta.

Por meio dessa experiência, tive a noção exata do poder de se reinventar e do grande potencial de alegria que isso desperta nas pessoas, que têm a gratidão como a sua verdadeira expressão. Compadecer-se com alegria nos dá a certeza de que a compaixão não pode ser formatada ou colocada num rótulo: ela se convida a florescer e convida todos a compreender um mundo que nos foi dado gratuitamente.

A palavra-chave para definir essa relação de compaixão e renovo é unidade. Colocar o coração no centro da ação do outro é se esvaziar das imperfeições das diferenças e, com coragem, fazer da aceitação uma virtude. A compaixão é a alma do coração.

Quando uso a expressão "alma", sempre me vem à memória o livro *Gratidão, a alma da oração*, do monge beneditino David Steindl-Rast. O autor narra um episódio de sua vida, quando ainda era adolescente e morava em sua cidade natal, Viena, na Áustria. Era um momento triste, quando o país conheceu os ataques aéreos da ocupação nazista. O monge nos chama a atenção para a possibilidade de um ataque aéreo abrir os olhos das pessoas:

> Uma vez, eu me lembro, as bombas começaram a cair tão logo as sirenes de alerta dispararam. Incapaz de encontrar um abrigo antiaéreo com rapidez, corri para uma igreja a poucos passos de distância. Para me proteger do vidro estilhaçado e dos destroços, rastejei sob o abrigo de um banco, e escondi o rosto com as mãos. Mas, à medida que as bombas explodiam do lado de fora e o chão tremia debaixo de mim, eu tinha certeza de que o teto abobadado iria desabar a qualquer momento e me enterrar vivo. Bem, a minha hora ainda não

havia chegado. O tom contínuo da sirene anunciava que o perigo tinha passado. E ali estava eu, esticando as minhas costas, tirando a poeira das minhas roupas, e saindo em direção a uma gloriosa manhã de maio. Eu estava vivo. Surpresa! Os edifícios que eu tinha visto havia menos de uma hora agora eram montes de entulho fumegante. Meus olhos pousaram sob alguns metros quadrados de gramado em meio a toda aquela destruição. Era como se um amigo tivesse me oferecido uma esmeralda na palma de sua mão. Nunca, antes ou depois daquilo, eu tinha visto uma grama surpreendentemente verde.[1]

Toda vez que leio esse testemunho do irmão David, lembro das minhas experiências convivendo com pessoas em situação de extrema privação social, como na África ou no sertão do meu país. Vejo a surpreendente grama verde na capacidade daquelas pessoas, que não esmoreceram diante de toda aquela adversidade e, com uma alegria incomum, conseguem ser gratas pelo simples fato de estarem vivas.

Essa capacidade de renovação é mais do que um processo de resiliência, é um estado de unidade de corpo, alma e espírito. Uma coisa é você passar por uma situação adversa e se recuperar; outra é nascer e viver sendo submetido diariamente a situações de vulnerabilidade e, mesmo assim, se manter humano e com o coração esperançoso de que amanhã será melhor.

Sempre tive esse exemplo dentro da minha casa. Apesar de todas as dificuldades para criar dois filhos sozinha, às vezes com dois ou três empregos para garantir o nosso sustento e um teto para morar, nunca vi minha mãe reclamar da vida, lamentar ou procurar um culpado. Estava sempre sorridente. Por dentro poderia estar angustiada, triste e arruinada, mas, em nossa presença, ela era a totalidade em ser mãe. Embora tivesse pouco tempo para ficar comigo e com a minha irmã por causa da necessidade de gerar renda, esse pouco tempo era muito intenso. Mesmo com o cansaço de estar acordada desde as três horas da manhã, minha mãe fazia questão de estar presente e criar um imaginário maravilhoso do "estou aqui" e "eu te amo".

Eu me pego muitas vezes, nos dias de hoje, diante de qualquer situação que gere desgaste ou aborrecimento, num estado de anamnese, rememorando o ser por meio da doçura e simplicidade da minha mãe. Graças a Deus, ainda posso desfrutar de sua presença. Então, mais que rapidamente ligo para ela apenas para pedir a sua bênção e ouvir, como poesia, sua voz sempre entusiasmada: "Deus te abençoe, meu filho".

Isso é renovação, é a compaixão do amor ágape, incondicional, que tudo suporta, tudo espera e que está sempre disposto a recomeçar, a dar vida ao que está velho e alma ao que está vago.

"Se o homem falhar em conciliar a justiça e a liberdade, então falha em tudo."

Albert Camus

Compaixão e justiça social

Jean-Paul Sartre, na parte final do livro *Os comunistas e a paz*, propõe uma solução inusitada: devemos avaliar cada situação perguntando como ela se afigura aos olhos dos menos favorecidos ou dos injustiçados. Basta identificar quem são os mais oprimidos e desfavorecidos em tal situação e então adotar sua versão dos fatos como a correta. Para Sartre, a visão de quem vive o fato social da pobreza e de tudo o que ela deflagra deve ser assumida como o próprio critério da verdade — que define, segundo ele, o homem e a sociedade como realmente são. Se algo não é verdadeiro aos olhos dos menos favorecidos, então não pode ser verdade.

Apesar da simplicidade da ideia de Sartre, sua objetividade é sem dúvida impactante, em especial para os que confundem privilégio com direito e consideram que o "pobre" é parte do cenário normal de uma sociedade desde que ela existe. A compaixão é um ato de justiça, como na filosofia de Levinas, em que o olhar do outro nos faz exigências de extensão teoricamente infinita, reafirmando a condição de que um ideal não deixa de ser inspirador só por julgarmos impossível nos atermos a ele.

A justiça que abordo aqui não passa nem perto daquela que configura as leis e suas ramificações. A justiça como um dos estágios da compaixão se dispõe a reconhecer o desfavorecido de Sartre como alguém que tem leitura de mundo e que pode reverter a situação de caos social que o acomete. É um processo pedagógico de se ver no outro e de amadurecimento da existência. Conheço pessoas que se comportam como se tudo fosse alheio a elas. São frias nas relações, não se importam com nada fora de seu umbigo e passam a vida sem se fazer existir, a não ser para si mesmas. Certamente não foram concebidas assim: trata-se de uma solidão construída, com requintes perversos de negação e, em alguns casos, de uma falsa ilusão de superioridade.

A compaixão, quando exercida com sentido de justiça, revela a existência mais pura da dignidade nas diferenças. Um dos textos mais lindos que li sobre essa dignidade foi o do rabino Jonathan Sacks, em seu livro *A dignidade da diferença*. Eis um trecho:

> Apelo em favor da tolerância em uma era de radicalismos. Percebo um claro e evidente perigo para a humanidade no aumento cada vez maior de tensões étnicas, nos embates entre as civilizações e no uso de justificativas religiosas para a prática do terrorismo. Quase sempre as páginas da história têm sido manchadas pelo derramamento de sangue em nome de Deus. Junto com as armas de destruição em massa, também as atitudes religiosas radicais ameaçam a segurança vital na terra. Neste nosso mundo interconectado devemos aprender a nos sentir engrandecidos, e não ameaçados pela diferença.[2]

Sentir-se engrandecido e não ameaçado pela diferença é um dos grandes desafios que temos pela frente, em especial neste tempo presente, quando a liquidez das relações tem aumentado o fosso entre as pessoas. Encontrar a solidez exige que se tenha um interesse pelo outro de forma genuína. Mas o apelo em favor da tolerância do rabino Sacks carrega outros sentimentos que estão perdidos na dinâmica do desinteresse.

Outro dia, eu estava na sala de espera de um escritório de uma grande multinacional. Já havia feito a minha identificação e tinha aberto um livro enquanto aguardava a autorização para entrar. De repente, um senhor todo esbaforido chegou à recepção falando ao celular. O homem se postou diante das atendentes, que ficaram estáticas, esperando que ele lhes dirigisse a palavra. Estavam sendo educadas, embora o senhor esbravejasse com comentários rudes como: "Que inferno! É muita gente incompetente. Faça isso agora". E eu apenas observava a expressão de todos que ali estavam sentados, aguardando suas reuniões. Entre mímicas, ele se identificou, sem parar de falar ao telefone. Pegou o crachá e se sentou ao meu lado, falando, gritando, balbuciando. Eu não via naquele homem nenhuma preocupação com quem estava à sua volta; parecia se sentir sozinho no ambiente, a ponto de colocar a sua maleta em cima dos meus pés e não me perceber ali.

Lembrei-me desse fato porque aquele homem, talvez num exemplo mais exagerado, representa o desinteresse do que acontece ao redor. Quantas pessoas passam pelas nossas vidas que parecem assumir um protocolo de intenções para se manterem desinteressadas de tudo e de todos? Entretanto, quando são elas as vítimas do desinteresse social, anunciam o fim do mundo, pois a arrogância que carregam não admite que alguém seja mais arrogante do que elas. Compreendo esse desinteresse também pela ausência da compaixão, que gera o vazio da justiça social e torna o campo fértil para comportamentos como o daquele homem, que espalha a invisibilidade e que lamentavelmente acabará num confronto violento quando encontrar alguém no mesmo nível de baixa civilidade. Trata-se de uma espiral que desperta um senso de justiça enganoso. Quando nos sentimos prejudicados, tendemos a proferir imediatamente acusações para todos os lados, pois a percepção de vítimas nessa hora fala mais alto. O ego grita.

E passamos a acreditar, também equivocadamente, que existe justiça quando podemos atingir aqueles que nos feriram, desapontar os que nos iludiram, machucar os que nos prejudicaram e nos causaram sofrimento. O saudoso Leo Buscaglia, renomado educador, escritor e conferencista, no livro *Amando uns aos outros*, escreveu um ensaio belíssimo sobre o desafio das relações humanas. Logo na introdução, Buscaglia pergunta ao leitor: "Por que temos tanto medo de nos comprometer em amar um ao outro?". Na sequência, faz um manifesto aos indignados e indiferentes:

> Este é um livro sobre amor, ternura, compaixão, zelo, partilha e relacionamento — os mais vitais dos comportamentos humanos. Sem essas qualidades, a vida é vazia, mesmo que tenhamos uma saúde perfeita, a mais confortável das casas e uma invejável conta bancária. Apesar de sabermos disso, dispensamos pouquíssimo tempo desenvolvendo esses comportamentos. De fato, vivemos numa sociedade em que palavras como amor e compromisso são consideradas tolices sentimentais, fora de moda.
>
> Os céticos estão sempre prontos a ridicularizar aqueles que continuamente a falar de desilusão, solidão arrasadora, e da força e dos caminhos místicos do amor. Se você ama, é considerado ingênuo. Se é feliz, você é considerado frívolo e simplista. Se é generoso e altruísta, você é considerado

suspeito. Se perdoa, você é considerado fraco. Se confia, você é considerado um tolo. Se tentar ser todas essas coisas, as pessoas têm certeza de que você é um impostor.³

Perceba a frivolidade que gera o desinteresse e a nossa incapacidade de nos relacionarmos. Compadecer-se, então, se tornou um absurdo numa sociedade que industrializou sentidos que eram de ordem natural, tendo suas fontes canalizadas de acordo com os interesses e as conveniências individuais. Me parece que estamos permanentemente presos a nós mesmos, com medo da liberdade de ser o que somos, em alguns casos nos protegendo com a capa da moralidade para esconder nossas vontades mais íntimas. E assim, de muro em muro, criamos um labirinto cuja saída todos querem encontrar, e onde já não se importam em saber como entraram.

Como no poema épico de Konstantinos Kaváfis:

Muros

Sem cuidado nenhum, sem respeito nem pesar,
Ergueram à minha volta altos muros de pedra.
E agora aqui estou, em desespero, sem pensar
noutra coisa: o infortúnio me depreda.
E eu que tinha tanta coisa por fazer lá fora!
Quando os ergueram, mal notei os muros, esses.
Não ouvi voz de pedreiro, um ruído que fora.
Isolaram-me do mundo sem que eu percebesse.⁴

A ausência da compaixão como justiça social ergue os muros do isolamento social, em especial quando não contemplamos os potenciais dos outros. Ficamos sempre na comparação, estabelecendo paradoxos e anulando a existência alheia.

"Na tolerância, o fim da vergonha. No amor, o fim da vergonha. Na educação, o fim da vergonha. Na esperança, o fim da vergonha."

Rabino Nilton Bonder

Compaixão e movimento

Já tratei de "movimento" em todos os meus livros anteriores. Para aflorar o sentido de pertença, é necessário se mover em direção ao outro. Para se libertar das amarras da zona de conforto, é preciso se movimentar para fora dela. Para renovar a esperança, é preciso se inspirar, considerando que o que nos move é o que nos inspira. Por fim, quando o sentimento se torna estático, tudo vira opacidade, rotina e imobilidade, provocando um ambiente emoliente para sustentar o amor, que é por si só movimento em sua totalidade. Entretanto, na compaixão essa mistura toda se movimentando é que constitui a sua finalidade.

Michel de Montaigne, em seu mundo cinzento, afirmou: "A finalidade de nossa trajetória é a morte". Esse comportamento niilista trouxe a Montaigne o rótulo de "o homem de um pensamento único", o pensamento de morte. Para ele, nada é mais suspeito do que incitar as pessoas a buscar o saber absoluto, como a felicidade, o domínio de si e a renúncia. Segundo Montaigne, a nossa razão é frágil e fraca, e os nossos desejos e paixões são fortes demais para que possamos atingir as verdades últimas da vida, como o soberano bem.

Sendo a morte o fim certo para todas as espécies, tudo fica sem sentido.

Faço essa menção a Montaigne porque, quando somos confrontados com a morte, sucumbimos a pensamentos niilistas e comumente ouvimos nesse rito — apesar de esperado, nunca sabemos lidar com ele — frases como: "Puxa vida, perdemos tanto tempo com coisas sem importância" ou "A vida é um sopro, né?". Por alguns instantes, chegamos a acreditar que todo o esforço é nulo diante da verdade de Montaigne, porém temos a sorte de isso passar rápido quando entramos de novo na rotina, na correria do cotidiano, e só vamos recorrer a esses pensamentos novamente quando mais uma vez formos surpreendidos pela finitude.

Também encontramos essa sensação de que tudo é vão no Livro de Eclesiastes da Bíblia, onde o profeta nos traz uma mensagem sobre a efemeridade, afirmando que tudo o que acontece debaixo do sol não passa de vaidade. Não à toa, Eclesiastes é conhecido teologicamente como o livro da impermanência. Temos uma natureza inquieta, que não nos permite ser subtraídos por esse estado do "nada adianta, o nosso fim é o mesmo de todos, a morte". Quem dera recorrêssemos a esse pensamento para avaliar o nosso ego. Seria de grande valia para dar equidade às nossas relações.

O rabino Nilton Bonder afirma que é necessário andarmos com dois bilhetes, um em cada bolso. Em um bilhete estaria escrito "Sou pó e ao pó retornarei"; no outro, "Eu posso, eu consigo". Basta termos sabedoria e discernimento para, de acordo com as circunstâncias da vida, saber ir ao bolso certo. Isso certamente nos daria outro patamar de alteridade e sentido de pertencimento. Mas, quando nos limitamos a refletir sobre o nosso fim, é porque nos esquecemos da gratuidade da vida: não pagamos por ela, simplesmente nos foi dada, e a forma como encaramos esse presente é o que determina quem somos no estado de convivência social.

Não existe vida sem movimento. Se inerte está, é porque a alma não existe mais. Conheço e conheci muitas pessoas que estão mortas em vida, não têm pulsão, não se alegram por nada, não deixam história por onde passam, são almas penadas num mundo vibrante. Compadecer-se em movimento é não se conformar com o sofrimento alheio, é estar permanentemente inconformado com a maldade produzida entre nós.

É fazer o enfrentamento, mesmo sabendo que há um tempo para todas as coisas, como disse o profeta de Eclesiastes, sem esmorecer diante do analfabetismo social causado pela intolerância reinante num mundo em que ainda existe a frase: "Você sabe com quem está falando?". Se essa frase ainda persiste, é porque os iguais ainda não se reconhecem. Por isso, a compaixão tem um papel fundamental e de movimento para a reversão social da malevolência instaurada entre os humanos.

A compaixão tem o seu movimento alicerçado em confiar e acreditar na vida humana. Não será possível se compadecer se não houver essas condições; trata-se de um verdadeiro discipulado. Cabe aqui uma história chassídica:

> Moshe Mendel visitou o Rebe e reclamou: "Rebe, não importa o que eu faça, sou incapaz de sustentar minha mulher e quatro filhos!".
> O Rebe respondeu: "O Talmud ensina que Deus se senta em seu trono celestial a cada dia e sustenta o mundo inteiro, desde os chifres da rena até os ovos dos piolhos".
> A conversa voltou-se para o passado de Moshe Mendel. Ele perdera a mãe quando ainda era criança e foi maltratado pela

madrasta. Após deixar a família para morar num abrigo, aproximou-se de um rabino e, em virtude de sua bênção, evitou ser alistado no exército polonês. Mais tarde entrou para o exército russo e, por uma série de circunstâncias extraordinárias, sobreviveu, escapou dos nazistas, casou-se e chegou aos Estados Unidos.

Após contar ao Rebe sua incrível história, o homem novamente mencionou seus problemas financeiros.

"Mas não acabamos de falar que Deus irá prover pelo seu sustento?" perguntou o Rebe. "Você não confia Nele?"

"Se eu não confiasse em Deus, estaria aqui?", perguntou Moshe. "E, antes de vir procurá-lo, visitei todos os Rebes que conheço. Isso não demonstra minha fé em Deus?"

"Com todo o respeito," disse o Rebe, "isso demonstra sua fé nos Rebes, não em Deus". "E como é possível", perguntou gentilmente o Rebe, "que, ao descrever sua sobrevivência, você não tenha mencionado Deus uma vez sequer? Parece-me que, desde que você encontrou um Rebe e experimentou milagres, acredita nos Rebes, em vez de acreditar em Deus. Agora vamos trabalhar no sentido de mudar isso".

Não confunda o agente da bênção com sua fonte.

O rabino chama a atenção para a importância de saber no que crê o discípulo, a quem ele serve e o que o move. A compaixão é um estado absoluto de fé em movimento, de confiar sem a necessidade de ver, pois o alvo da visão é a certeza. A essência de se compadecer é a verdade que impulsiona, emociona, entretanto só se torna exequível quando agimos e somos capazes de colocar o outro também em movimento. Não há toque de varinha mágica, não existe ilusionismo quando intervimos na vida das pessoas. É necessário sempre lembrar que onde existe desespero há desesperança, e, por isso, a responsabilidade é muito grande, emergindo a mudança do se "fazer ao outro" para "estar junto ao outro".

Sempre dentro de uma concepção protagonista e não assistencialista, em que, depois de despertados seus dons e talentos, podemos nos sentar na plateia e ver o *show*. É o que disse Bergson, o filósofo da alegria: "Se consciência significa memória e antecipação, é porque consciência é sinônimo de escolha".

Compadecer-se com escolha, alegria, com harmonia, com sensibilidade, com empatia, com movimento, com renovo, com justiça, com pertença, com solidariedade, com conectividade, com tempo social, com liberdade, com alteridade, com resiliência, com amor, com agir, com sentir, com sentidos, com movimento e com totalidade.

Mova-se!

Notas bibliográficas

1. Steindl-Rast, D. *Gratidão, a alma da oração*. Petrópolis: Vozes, 2018, p. 16.
2. Sacks, J. *A dignidade da diferença*. São Paulo: Sêfer Editora, 2013, p. 11.
3. Buscaglia, L. *Amando uns aos outros*. 3. ed. São Paulo: Record, 1984, p. 13.
4. Disponível em: <http://www.blocosonline.com.br/literatura/poesia/pi01/pi210510.htm>. Acesso em: 8.4.2019. Tradução de José Paulo Paes.

"Viver é como andar de bicicleta: é preciso estar em constante movimento para manter o equilíbrio."

Albert Einstein

Conheça outros livros de Fernando Moraes

A arte de pertencer

Nestes tempos modernos, de hegemonia das redes virtuais, das relações instantâneas – geralmente superficiais –, as relações sociais passaram a ser definidas pelo que se "tem" e não pelo que se "é".

A arte de pertencer é um livro que faz pensar, pois trás uma reflexão comprometida com as coisas que fazem a vida valer a pena. O simples fato de ser parte de um lugar "humano" desperta a sensação de viver em uma comunidade, com o poder de interferir e participar ativamente na construção de um Novo Estado de Convivência Social.

Diante da força do Ter pelo Ter, o Ser se esvazia. Todo.

Disponível em livro e e-book

O que te move?

Quais são os seus verdadeiros propósitos de vida? Até onde vai o seu limite para ajudar o próximo? Você é capaz de renunciar a sua zona de conforto em função de quem precisa de você?

Mais do que ser o protagonista da própria história, o ser humano deve valorizar o potencial voluntário, daí o jargão "fazer o bem" não ser encarado como um produto. Também é preciso ativar-se socialmente e enxergar além da limitação dos olhos, respondendo à questão mais interessante de todas: "O que te move?".

Disponível em livro e e-book

Renovo: o poder de se reinventar

Atitudes positivas, reconhecimento por um feito artístico, envolvimento cognitivo com o que se gosta e o que se faz bem. Essas são algumas atitudes que fazem parte do Renovo.

O Renovo nos dá a possibilidade de fazer melhor, de ter esperança, de transformar o estado de fatalidade em felicidade – mesmo que seja momentânea.

É preciso se reinventar para que aconteça uma mudança de vida. O Renovo pode, e deve, fazer parte da vida de todos. Superar o que não serve mais e construir hábitos importantes, cada vez mais presentes.

A transformação vem de dentro. É essencial querer mudar, procurar a renovação interna com inspirações que vêm de fora.

Pense nisso. Renove-se. Inspire-se. Mude.

Disponível em livro e e-book

Um amor em movimento

Neste romance filosófico, o autor explora por meio de diálogos entre os protagonistas, reflexões sobre pertencimento, solidariedade, alteridade, resiliência, política, estado social de convivência, intolerância, tolerância, igualdade, e o maior e mais especial de todos os sentimentos: o amor.

Tudo isso roteirizado por grandes pensadores, passando por Nietzsche, Hannah Arendt, Pablo Neruda, Voltaire, Aristóteles e outros.

Movimentar um sonho, uma causa, um ideal, ou um propósito de vida nos permite despertar para novas oportunidades, aflorando talentos, habilidades, dons e potenciais, e nos dando confiança e coragem para seguir em frente.

Disponível em livro e e-book

Saiba mais sobre a **Editora Novo Conceito** acessando o site:

www.editoranovoconceito.com.br

Não quer perder nenhuma notícia da Editora Novo Conceito? Visite nossas redes sociais e fique por dentro dos lançamentos e novidades. Você ainda pode participar de sorteios e fóruns de discussão de livros.

- www.editoranovoconceito.com.br
- Facebook.com/editoranc
- Twitter.com/novo_conceito
- Instagram.com/novo_conceito
- Skoob.com.br/novo_conceito
- Youtube.com/editoranc

Editora Novo Conceito
Rua Dr. Hugo Fortes, 1885 – Pq. Industrial Lagoinha
Ribeirão Preto/SP • Brasil • 14095-260
+55 16 3512.5500
contato@nceditora.com.br